U0115376

文獻研究叢書・圖書文獻學叢刊

文獻學與藏書史探微

胡晨光　著

自序

　　呈現在讀者面前這部小書，是我自二〇一九年以來所發表論文的選編。我於二〇一一年開始學習古文獻學，自二〇一八年進入博士階段起始公開發表文章，目前共積累文章十餘篇。此次結集，擇取其中八篇，定名為《文獻學與藏書史探微》。

　　我出身寒微，祖輩皆是農民，父親是瓦匠，每見文獻學家謀食四方、窮困潦倒仍有志學術，內心頗受鼓舞，因此撰寫文章時格外關注社會中下層學者的學術活動。碩士階段，我以《朱文藻文獻學研究》為題撰寫學位論文，探討攜筆遊幕的清代中期杭州學者朱文藻的文獻學成就。博士階段，我在導師北京師範大學周少川先生的鼓勵下，重點關注清代江南藏書家的社會交往，完成《清代江南書籍社會研究》的博士論文。因此，文獻學與藏書史的研究長期以來是我重點關注的兩個方向。

　　就本書內容而言，〈典籍分類與學術演進〉主要討論朱文藻為四庫館副總裁王杰所輯《葆醇堂藏書錄》突破四分法桎梏，在目錄分類、著錄層面的創意和貢獻。〈志書編修與學術生態〉則關注乾隆至道光年間《濟寧金石志》多次纂修過程中所體現的朱文藻、馮雲鵷、許瀚、楊鐸等學者與所處學術生態間的互動關係。對朱文藻《校訂存疑》一書的討論則主要梳理其編纂過程和主要內容，分析其考校方法和特點，論述其歷史考證價值。〈四庫修書中乾隆嘉獎對江浙藏書家的影響分析〉旨在揭示乾隆皇帝發布的若干嘉獎舉措對江浙藏書家的心理刺激及對藏書事業的推動。〈涉江采珍錄〉與許瀚的書籍消費〉

主要通過對比山東學者許瀚在江浙和京畿的書籍消費清單《涉江采珍錄》、《燕臺買書記》，分析許瀚書籍消費在地域層面的特點，並探究造成如此特點的原因所在。〈清代江南普通文人的書籍活動和文化追求〉主要以崑山儒醫潘道根的購書、藏書活動為中心，探究清代江南普通文人癡迷書籍背後的文化追求。〈葉啟勳的書籍生活及其情感寄寓〉則關注近代湖南藏書家、葉德輝之侄葉啟勳的藏書活動及其內心世界。

　　書稿編訂完成後，我時常惴惴不安，自覺書稿既單薄又乏味，對文獻學界幫助甚小，有愧導師的多年培養和親人師長的殷切期盼。然而個人求學境遇、進展不同，我雖年纔三十，卻做過建築工人、家庭教師，進過工地，發過傳單，能夠在求得一家溫飽後從事學術，在浩瀚典籍中尋得前賢指引，真乃人生至樂。謹以此書，當作我學習古文獻學的起點。不揣謭陋，期望讀者諸君賜教。

目次

典籍分類與學術演進

——論《葆醇堂藏書錄》的八分法體系

　　四部分類法自魏晉時期創設，發展至清代，其格局和地位已經十分穩固，私家編目多採四分法。亦有少數學者如孫星衍在《孫氏祠堂書目》等目錄中創新體例，其學術價值已得到鄭天一等學者的充分闡釋。[1]其實在《孫氏祠堂書目》成書二十年之前，《葆醇堂藏書錄》也突破四部的窠臼，試圖通過目錄分類反映學術流變，值得關注。

　　《葆醇堂藏書錄》的作者朱文藻（1735-1806）是乾嘉時期的杭州文獻學家，字映漘，號朗齋、碧溪居士。他一生未能考取功名，多就館為幕客，為人考校、編纂典籍。早年間，他就館於杭郡汪氏振綺堂，著《說文繫傳考異》，並為汪氏編著提要目錄十冊——《振綺堂書錄》，被稱為「講求目錄學者必不可少之書」[2]；也在浙江書局參與纂輯《浙江採集遺書總錄》[3]。後應王杰之邀，赴京助校《四庫全書》兼修《續三通》。自京返杭後，朱氏赴山東，替黃易編訂《濟寧金石志》；後轉入阮元幕府，襄助阮元編成《山左金石志》、《兩浙輶軒錄》；再應王昶之聘，編纂《西湖志》、《金石萃編》，今人陳鴻森先

1　鄭天一：〈論文化環境、心理偏向與圖書分類法——孫星衍十二分法產生的文化基因〉，《圖書館雜誌》2001年第4期，頁51-54。

2　汪詒年：《汪穰卿先生傳記》（北京：中華書局，2007年），頁21。

3　（清）沈初等撰，杜澤遜等點校：《浙江採集遺書總錄》（上海：上海古籍出版社，2010年），頁3、851-852。

生有〈朱文藻年譜〉述之甚詳。[4]朱氏屢應名公之請，足見其學識為時人所肯定，周春稱他「武林耆舊盡，杭屬一燈留」[5]，胡敬說：「吾浙近代學贍而集鉅者推竹垞老人，敬未知先生之學之贍於竹垞何如？而著作等身則相抗。」[6]

《葆醇堂藏書錄》成書於朱文藻赴京校書（1778-1780）的後期[7]，是他為王杰葆醇堂藏書編撰的目錄。今國家圖書館存一劉喜海《味經書屋》抄本，為《國家圖書館藏稀見書目書志叢刊》所影印。是書不分卷，上下兩冊，無序跋，牌記作「道光十年歲次庚寅，東武劉氏《味經書屋》抄本」，目錄頁自下至上有「劉喜海印」、「文正曾孫」、「北京圖書館藏」三印，卷端有「燕亭藏書」、鳥蟲書「劉」兩藏印，卷末有「嘉蔭移藏書印」。據《劉喜海年譜》，「道光十年（庚寅，1830）劉喜海三十八歲時，《味經書屋》抄成《葆醇堂藏書目》不分卷」。[8]是書為輯錄體，每著錄一書，先列書名、卷數，然後注明作者時代、字號、籍貫，並輯錄書籍序跋，最後以「文藻案」的形式點評書籍版本、完缺、價值所在等。

朱文藻在助修《四庫全書》期間為王杰編訂的這部書目不採四部分類法，卻用「經、藝、史、志、子、集、類、說」[9]八分法，並以案

4　陳鴻森：〈朱文藻年譜〉，南京大學古典文獻研究所主編：《古典文獻研究》（南京：鳳凰出版社，2017年），第19輯下卷，頁157-244。

5　（清）周春：《耄餘詩話》，《續修四庫全書》（上海：上海古籍出版社，2002年），集部，第1700冊，頁17。

6　（清）胡敬：〈朗齋先生碧溪草堂詩集序〉，胡敬輯：《東里兩先生詩》（清道光二十五年崇雅堂刻本），卷首。

7　葆醇堂藏書並非朱文藻所有，國家圖書館影印前言因襲前人之誤，陳鴻森先生在〈朱文藻年譜〉中已有辯證，不再贅述。見陳鴻森：〈朱文藻年譜〉，南京大學古典文獻研究所主編：《古典文獻研究》，第19輯下卷，頁198。

8　胡昌健：〈劉喜海年譜〉，《文獻》2000年第2期，頁136。

9　（清）朱文藻：《葆醇堂藏書錄》，《國家圖書館藏稀見書目書志叢刊》（北京：國家圖書館出版社，2017年），第6冊，頁429。

語揭示分類之依據，頗具膽識和見地。是書著錄典籍約七百餘種[10]，就其編次的書籍數量而言稱不上很多，但朱氏依舊在書目分類中力求創新，部分門類達到三級類目，體現了他在長期典籍編目實踐中已經形成相對成熟的思考。其分類體系在傳統的四部分類法的基礎上，做出不少創新，我們可以透過他所設定的學術框架，窺見典籍分類與學術演進的積極互動。

一　整合小類設立藝部

《葆醇堂藏書錄》共分「經、藝、史、志、子、集、類、說」八部，相對於《隋書》〈經籍志〉以來的「經、史、子、集」四部分類，增加了「藝、志、類、說」四部。

朱文藻別立藝部，置於經部之後、史部之前。藝部之下共分六門，分別是六書、金石法帖、書畫、韻書、算書、雜藝。原經部小學類、史部金石類、子部藝術類、術數類等部類被他摘出，形成藝部。就「六書」類而言，朱文藻說：「六書之學，諸家簿錄皆列於小學，附經部之末。今別立藝部，則書為六藝之一而作書又必考其原，故以講六書者冠藝部之首。凡篆、隸、草各體書，亦以此列於後。」[11]朱氏認為，「書」為古時六藝之一且六書乃造字之法，「作書必考其

---

10 鄭偉章先生在《文獻家通考》中統計葆醇堂藏書量為一千餘種，根據《葆醇堂藏書錄》每部類後所記數量統計，經部為七十五種，藝部為四十六種，史部一百種，志部三十九種，子部六十六種，集部三百五十二種，類部十七種，說部二十五種，合計為七百二十種。朱氏可能在統計中稍有誤差，已在行文中指出部分訛誤，但葆醇堂藏書量應未達到千種之多。見鄭偉章：《文獻家通考》（北京：中華書局，1999年），頁419-420。

11 （清）朱文藻：《葆醇堂藏書錄》，《國家圖書館藏稀見書目書志叢刊》，第6冊，頁486。

原」，故將六書列於藝部之首，緊跟在經部之後，一定程度上符合小學之書原附經部之末的學術地位。就「書畫」類而言，他說：「諸家簿錄以書入小學，附於經；畫入雜藝術，附於子。然自來畫家往往與書並傳，皆為藝苑所重。今故以次列於六書、金石之後。」[12]該類目收書有《歷代名畫記》、《竹雲題跋》等共九種，如《庚子銷夏記》，是孫承澤評騭所見晉唐以來名人書畫之所作。朱文藻認為畫、書並傳，都為藝林推重，因此將書畫類列於六書、金石之後。

　　「韻書」類收書有《佩文韻府》、《韻學要指》、《古今韻略》、《韻府群玉定本》、《三體摭韻》共五種。朱文藻案：「音韻本與六書相為表裡，而韻書中兼載故實，備詞章之用，亦小學之先資也。其《三體摭韻》一書，雖非韻學而與韻府同例，並連類而附於後。」[13]音韻之書與文字之書同屬小學，他將其畫入藝部。值得注意的是，他將常歸於類書的《佩文韻府》歸於「韻書」類。《佩文韻府》以韻隸字，於每單字之下設四部分內容，首為「釋」字，講音韻字義，可作詞典之用；其他部分則供作詩時採擇辭藻、尋找典故；總體而言該書確實和小學之書頗有類似之處，而其按韻編排，列入「韻書」未嘗不可。「算書」類收書有《孫子算經》、《五曹算經》等四種，他說：「算書向與律術同類，入子部天文家之後。然算，術也。數亦六藝之一，小學餘力之所當務也。置於藝部，與書同例。」[14]他認為算術古為六藝之一，學人治小學有餘力當通算術，故不再將其歸入子部，提升了算術之學的地位。

12　（清）朱文藻：《葆醇堂藏書錄》，《國家圖書館藏稀見書目書志叢刊》，第6冊，頁507。

13　（清）朱文藻：《葆醇堂藏書錄》，《國家圖書館藏稀見書目書志叢刊》，第6冊，頁516。

14　（清）朱文藻：《葆醇堂藏書錄》，《國家圖書館藏稀見書目書志叢刊》，第6冊，頁519。

藝部以小學為主體，彙集學人治經之餘所當通習者。其二級類目中，以六書為首，與之關係緊密的金石、書畫、韻書次之，將學人有餘力當研習的算書附後，不便歸類之書列入雜藝，可見其排序納入了學術需要的考量，為學人治學提供了借鑑。

二 將志部、類部、說部提升為一級類目

增設藝部之外，他還將部分二級類目提升為一級類目。《葆醇堂藏書錄》中，志部列於史部之後，分為六門，分別是方輿、通志、府州縣、山川、雜志、遊記。就各類所收典籍而言，方輿類有《讀史方輿紀要》、《廣輿記》共二種；通志類有《江南通志》、《浙江通志》等共七種；府、州、縣志類有《邵武府志》、《武功縣志》等共八種；水道、山川類有《華岳志》、《水道提綱》等共十二種；雜志類有《白鹿洞書院志》、《月泉考志》等共六種；遊記類共四種[15]，分別是《徐霞客遊記》、《雁岩志遊》、《遊平山堂小記》、《衡湘稽古》。以遊記類為例，朱氏案語記：「諸家簿錄，每以遊記入之子部小說家。今以其所記山水名勝，可供地志採撮之用，故附於地志之後。至《衡湘稽古》一書，只載湖南古事，雖未可遽入通志，而亦為作志者所取資，聊附於末以備考。」[16]他認為遊記之書記載山水名勝，可為方志編纂提供素材，故不再將其畫入子部而入志部。朱氏稱《徐霞客遊記》「走筆為記，如甲乙之簿、丹青之畫。其書數萬言，皆訂補桑《經》酈《記》，及漢宋諸儒疏解《禹貢》所未及」[17]，指出其書在訂補《水經

---

15 案語稱「右遊記五種」，實只見四種，未知是朱文藻誤記還是抄者遺漏。

16 （清）朱文藻：《葆醇堂藏書錄》，《國家圖書館藏稀見書目書志叢刊》，第7冊，頁75。

17 （清）朱文藻：《葆醇堂藏書錄》，《國家圖書館藏稀見書目書志叢刊》，第7冊，頁76。

注》、《禹貢》等古代地理著作方面的重要意義，肯定其地理學價值。
他對遊記之書價值的肯定與《四庫全書總目提要》將遊記類納入史部
地理類的做法具有內在一致性。

在諸家目錄書中，類書往往作為二級類目附於子部。《葆醇堂藏
書錄》中，類部成為一級類目，不分門，共收《初學記》、《蒙求釋
注》、《漢書蒙拾》等十七種類書[18]。其中《漢書蒙拾》「取兩《漢書》
及《文選》之詞句故實可資小學檢取者」[19]，摘詞列目，後附原文和
注解，故朱氏將其列於類書。

小說筆記的閱讀是清代文人重要的消遣方式之一，朱氏關注說部
之書，他曾纂集《說部雜鈔》[20]。在《葆醇堂藏書錄》中，說部成為
單獨的門類，置於一級類目之末，下設雜說和詩話，收書範圍大致相
當於四庫分類中的子部小說家類和集部詩文評類。「雜說」有書十六
種，如《太平廣記》、《孔氏讀怨》[21]等；「詩話」共九種，如《詩話總
龜》、《漁洋詩話》等。《漢書》〈藝文志〉已經設「小說家類」，明代
焦竑《國史經籍志》始設「詩文評類」。[22]宋代晁公武《郡齋讀書志》
即把詩話類作品如《後山詩話》、《歐公詩話》等收入「小說家類」之
中。朱文藻將敘述雜事、記錄異文、綴輯瑣語的小說家之書和評論詩
文的詩話著作合為一類，應該和他對詩話體裁的作品性質認識有關係，

---

18 類部末案：「右類書十六種。」核其數量，實共十七種。見（清）朱文藻：《葆醇堂
藏書錄》，《國家圖書館藏稀見書目書志叢刊》，第7冊，頁241。

19 （清）朱文藻：《葆醇堂藏書錄》，《國家圖書館藏稀見書目書志叢刊》，第7冊，頁
241。

20 （清）瞿世瑛：《清吟閣書目》，《中國著名藏書家書目匯刊（近代卷）》（北京：商
務印書館，2005年），第1冊，頁54。

21 其中有《談藝錄》一書，為明代徐禎卿所撰，是為詩話著作之大成，似歸入詩話一
類更為恰當。

22 柳燕：〈《四庫全書總目》集部研究〉（武漢：華中師範大學博士論文，2008年），頁
93-96。

他的《碧溪詩話》就有很強烈的記載學人奇聞軼事的特點[23]，反而少了評論詩文的色彩。

就書籍數量而言，志部有書三十九種，類部有書十七種，說部有二十五種，其數量尚不能滿足一級類目的創設。但朱氏將志部、類部和說部從原史部、子部和集部中抽出，提升為一級類目，是出於對清代學術風尚的把握和對地理著作、類書和說部之書價值的再認識。與此相比，成書略晚的孫星衍《孫氏祠堂書目》設立「經學、小學、諸子、天文、地理、醫律、史學、金石、類書、詞賦、書畫、說部」[24]等共十二個門類，也將類書、地理、說部之書列為一級類目，這說明乾嘉學者對這類的書籍和學術的認識存在共通之處。

三　調整二、三級類目的畫分、命名和排序

在增設藝、志、類、說四部之外，朱氏對傳統的經史子集四部之下的二、三級類目也有調整。在書籍類目的畫分、命名、排序之間，可見朱氏對書籍和學術的認識。

《葆醇堂藏書錄》經部分七門，分別是易、書、詩、春秋、三禮、四書、群經。朱文藻將小學類畫入「藝部」，並因王杰家藏之有無，而未設「樂類」、「孝經類」，這對於完整的目錄分類體系而言，實在是一個缺憾。經部中「群經」類所收書有《內府校刊篆書群經》、《十三經類纂》等，「群經類」採兼括諸經之義，命名同於《經義考》和《明史》〈藝文志〉，與《四庫全書總目》所立「五經總義類」不同。《四庫全書總目》〈凡例〉指出：「兼詁群經者，《唐志》題

---

23 如他在《碧溪詩話》的小傳中對齊召南、丁傳、汪士桂等怪談軼事的記載，同類記
　載俯拾即是。
24 （清）孫星衍：《孫氏祠堂書目》（上海：上海古籍出版社，2008年），頁235-238。

曰『經解』,則不見其為群經;朱彝尊《經義考》題曰『群經』,又不見其為經解;徐乾學通志堂所刻改名曰『總經解』,何焯又譏其為杜撰。今取《隋志》之文,名之曰『五經總義』。凡此之類,皆務求典據,非事更張。」[25]指出「群經」之名「不見為經解」的不足,故沿《隋書》〈經籍志〉之舊,仍以「五經總義」命名,但亦有不能涵蓋諸經的缺憾,不能反映經學的發展。

　　《葆醇堂藏書錄》史部分為九門,分別是正史、別史、史鈔、史通、綱鑑、典要、傳記、譜牒、簿錄。就史部「典要」類而言,朱文藻案語記:「典要者,朝廷之大典大要也。諸家簿錄史部有故事一門,所載頗亦類此。然故事所該,頗近瑣屑。茲所錄者,皆關係政令之大,非類編細事者比。故以『典要』二字,創為標類。簡首恭載欽定諸書,間有諸臣所纂,亦依類附焉。其前代及本朝諸儒著述統紀歷代典故者,並總附於後。」[26]以往的目錄書中,《七錄》〈紀傳錄〉設舊事部,《隋書》〈經籍志〉史部、《古今書錄》乙部史錄設「舊事」,《新唐書》〈藝文志〉乙部史錄設「故事類」,《遂初堂書目》史部設「故事類」「本朝故事」,《直齋書錄解題》史部設「典故類」,《文獻通考》〈經籍考〉設「故事」,《宋史》〈藝文志〉、《明史》〈藝文志〉史部設「故事類」,即朱氏所云「諸家簿錄有故事一門」。朱文藻以「典要」代「故事」,收大典大要之書,與《四庫全書總目提要》的史部「政書類」在創設內涵上存在一致性。《四庫全書總目提要》「政書類」下分「通制、典禮、邦計、軍政、法令、考工」六小類,收典章制度之書;《葆醇堂藏書錄》的史部「典要類」所收書則有《庭訓格言》、《朱批諭旨》等皇帝訓誡之書,還有《三通》、《冊府元龜》、

---

25 (清)永瑢等撰:《四庫全書總目提要》(北京:中華書局,1965年),頁17。

26 (清)朱文藻:《葆醇堂藏書錄》,《國家圖書館藏稀見書目書志叢刊》,第7冊,頁25。

《玉海》等書。《冊府元龜》、《玉海》二書通常隸於類書，此處置於史部「典要類」，別有深意，當是出於對類書性質的再思考。

　　《葆醇堂藏書錄》子部分為儒家、雜家、釋家、道家、諸家。子部雜家類，朱文藻案：「雜家之例有二，有學術不醇、習於雜霸者，有長於考古、不專二家者。觀漢隋與唐宋諸史志，門類分合之跡判然，自唐宋以來相沿已久，率以考古之書為雜家，今從之。又史志之例，儒家之後次以道家。今以雜家之書為學人考訂之用，與儒相近，彼二氏者非吾儒所尚。故儒家之後，即次以雜家，而道家則改列雜家之後焉。」[27]朱文藻以學人治學的實際需要，在目錄書中將雜家所處位置的順序前調，使儒家與雜家兩類有助於考訂之書次序相接，反映出他在書籍分類中對學術實用的注重。這一做法，同朱文藻參與編纂的《浙江採集遺書總錄》的處理方式一致。[28]

　　將雜家列於儒家之後，他又將佛家提於道家之前，他說：「唐宋史志，皆以釋家附於道家之後。彼時尊崇道教，次敘宜然。然佛老之稱，其來久矣。先佛後老，匪自今茲。似不必沿襲舊例也。」[29]清代尤其是乾隆朝佛道興盛狀況與唐宋時已有差異，因此朱氏在圖書目錄中將佛家提前，道家附後。《四庫全書總目提要》釋家類序言云：「諸志皆道先於釋，然《魏書》已稱《釋老志》，《七錄》舊目載於釋道宣《廣宏明集》者，亦釋先於道，故今所敘錄，以釋家居前焉。」[30]實際上，《四庫全書總目》先釋後道的做法可能和政治因素相關，同時

27　（清）朱文藻：《葆醇堂藏書錄》，《國家圖書館藏稀見書目書志叢刊》，第7冊，頁98。

28　（清）朱文藻：《葆醇堂藏書錄》，《國家圖書館藏稀見書目書志叢刊》，第7冊，頁350。

29　（清）朱文藻：《葆醇堂藏書錄》，《國家圖書館藏稀見書目書志叢刊》，第7冊，頁105。

30　（清）永瑢等撰：《四庫全書總目提要》，頁1236。

期的書目如范邦甸《天一閣書目》[31]、錢大昕《元史藝文志》[32]等均沿用了先釋後道的模式。朱氏區分了古道家和後世道教之書，他說：「古之所謂道家，其言本有關於治道，非如後世雜以神仙導引之說也。老子之謂道家，義本如此。」[33]他在參與校訂《續通典》時也指出：「唐時尊老子為聖祖，稱之為太上元之皇帝，其禮尊崇，故杜《典》序次在孔子祠之前。杜氏生於當代，著書立例不得不爾，然出於一時，不經之典，不可為後世法也。」[34]試圖在目錄編制和書籍體例中反映道家的衰落。釋道兩家之後，朱氏設諸家類，下分陰陽家、農家、形家、醫家四個三級類目。初看之下，諸家類似有與一級類目的名稱有疊床架屋之嫌，實際上，這是結合了書籍數量的考慮靈活變通的結果。諸家之下的四個三級類目僅有書共九種，故在書目分類中由第二級降為三級。

　　《葆醇堂藏書錄》集部分為三門：別集、總集、叢書。別集下設「歷代諸家別集」、「方外別集」、「閨秀別集」三小類，「凡百四十四種」[35]，以「歷代諸家別集」數量最多，他說：「別集各種，皆就插架所有，悉為錄出，不加抉擇。夫文人積一生精力成此詩文，捨此別無表見。雖零篇散佚，未必確有可傳；然未嘗不藉著錄家標其姓氏，垂之久遠，則於去取格律，似可不必過嚴。自昔如晁氏《讀書志》，陳氏《解題》，當時或亦漫爾入錄，至今遂成不刊之書。今之所收，亦

31　（清）范邦甸：《天一閣書目》（上海：上海古籍出版社，2010年），頁301、308。

32　（清）錢大昕：《元史藝文志》（北京：燕山出版社，1999年），頁406、412。

33　（清）朱文藻：《葆醇堂藏書錄》，《國家圖書館藏稀見書目書志叢刊》，第7冊，頁113。

34　（清）朱文藻：《校訂存疑》（南京圖書館藏清抄本），卷8。

35　（清）朱文藻：《葆醇堂藏書錄》，《國家圖書館藏稀見書目書志叢刊》，第7冊，頁183。

仿其意,未始無裨於作者之苦心也。」[36]朱氏深知將諸書列入目錄記載能夠促進典籍流傳,使之「垂之久遠」,故仿《郡齋讀書志》和《直齋書錄解題》之意,在編輯書目時特意留心,一一採錄歷代諸家別集。此外,《四庫全書總目》〈凡例〉云「釋道、閨閣,亦各從時代,不復區分」,暗指僧道、女性著述不宜與士大夫著述同列。《葆醇堂藏書錄》顯得更為直白,在分類中特設類目,以示區別,「別集」類中,設立「方外別集」,收僧人詩文,僅有《筠溪牧潛集》和《㷬虛大師遺集》二種[37];設立「閨秀別集」,收女性著作,只有《繡佛齋草》和《紅餘小草》兩種書[38]。

四　重新認識類書的性質和叢書的價值

朱氏在《葆醇堂藏書錄》中將《佩文韻府》列入藝部「韻書」類,將《冊府元龜》列入史部「典要」類,《太平廣記》入說部「雜說」類,與諸家目錄有所不同。可見朱文藻在書錄中對類書的歸屬,不獨從編纂體例切入,而是綜合考量了典籍內容、材料取資和學術利用等多方面因素,頗有獨到之處。《四庫全書總目》稱《太平廣記》「古來軼聞瑣事、僻笑遺文咸在焉,卷帙輕者往往全部收入,蓋小說家之淵海也。」[39]部分書目如《世善堂藏書目錄》、《季滄葦藏書目》等將《太平廣記》歸入子部類書,未能反映其小說總集的典籍性質。

---

36 （清）朱文藻:《葆醇堂藏書錄》,《國家圖書館藏稀見書目書志叢刊》,第7冊,頁181-182。

37 （清）朱文藻:《葆醇堂藏書錄》,《國家圖書館藏稀見書目書志叢刊》,第7冊,頁182-183。

38 （清）朱文藻:《葆醇堂藏書錄》,《國家圖書館藏稀見書目書志叢刊》,第7冊,頁183。

39 （清）永瑢等撰:《四庫全書總目提要》,頁1222。

朱文藻與《四庫全書總目》、《書目答問》等目錄的處理方式一樣,將
其書歸入雜說類,他在敘錄中說:「《太平廣記》,宋李昉等編輯。太
平興國間,既得諸國圖籍,而降王諸臣皆海內名士,或宣怨言。盡收
用之,置之館閣,厚其廩餼,使修群書……又以野史、傳記、小說諸
家,編成五百卷,分五十五部,賜名《太平廣記》。」[40]該提要分析了
《太平廣記》的創作原因及材料來源,因其多採自「野史傳記小
說」,故將其歸入雜說類。

此外,朱文藻認為,《冊府元龜》、《玉海》多記載朝廷典故,因
此應列於史部典要類,而不再將其歸於子部類書類,他說:「右《三
通》、《元龜》、《玉海》,文藻案:諸書向入子部類事一門,今以其所
載多紀朝廷典故,足資史志考校之助,非類書之僅供詞章採撮者,故
列於此。」[41]《三通》置於「典故」類固然,但對《冊府元龜》、《玉
海》兩部書的歸屬,朱文藻的分類同許多學者不同。《冊府元龜》為
輯佚《舊五代史》的重要參考,史料價值很高。周春云「先兄向輯
《舊五代史鈔》六卷,邵二雲留心此書,實自先兄發之,其時未知
《永樂大典》中所有也」[42],另外,朱文藻還曾作《五代史紀事》[43],
在助修《續三通》時也多考校五代史事[44],以五代史、宋史研究見
長,或可推測,朱氏對《冊府元龜》的重視可能出自他認識到該書在
五代史研究中的重要價值。

---

40 (清)朱文藻:《葆醇堂藏書錄》,《國家圖書館藏稀見書目書志叢刊》,第7冊,頁
   241-242。

41 (清)朱文藻:《葆醇堂藏書錄》,《國家圖書館藏稀見書目書志叢刊》,第7冊,頁
   40。

42 (清)周春:《耄餘詩話》,《續修四庫全書》,集部,第1700冊,頁17。

43 (清)瞿世瑛:《清吟閣書目》,《中國著名藏書家書目匯刊(近代卷)》,第1冊,頁
   12。

44 (清)朱文藻:《校訂存疑》(南京圖書館藏清抄本),卷8。

　　黃永年先生在《古文獻學講義》目錄學部分將《冊府元龜》放在史部政書類，他說：「還有一部大書，過去多把它放在類書裡的，其實體制以及今天的用途都和會要相同，因此也就附在會要一項來講。這就是：《冊府元龜》……有價值的是唐五代部分，多取實錄、國史及唐令、詔敕奏疏、諸司吏牘、頗有不見於兩《唐書》、兩《五代史》及《通典》、《唐會要》等書者，堪稱第一手史料而為研究者重視。」[45]對此，辛德勇評論說：「書籍的類別歸屬，這是對於書籍基本內容和性質的認識。在這方面最為典型的例子是《冊府元龜》。傳統目錄一向著錄此書於類書當中，有人還把它與《太平御覽》等並列為宋代『四大類書』。黃永年先生認為它『其實體制以及今天的用途都和會要相同』，因此便把它列在史部政書類當中。《冊府元龜》自是研究魏晉南北朝隋唐，特別是唐代歷史的重要資料，其價值不在《唐會要》及《通典》諸書之下，體例與分類編制政事的會要相同，而與採摘舊事軼聞辭章以供尋章摘句的類書卻有很大差別。」[46]雖然以《冊府元龜》價值不在《唐會要》、《通典》等書之下的看法乃見仁見智之說，但據以上兩位先生的分析，將《冊府元龜》從類書中摘出而置於史部典要類的做法是有其合理性的。此外，朱氏將《玉海》置於典要類而不歸於類書，同樣是出於對《玉海》在記載歷代典制和本朝掌故方面價值的考量。

　　在集部的別集和總集之後，朱文藻別設叢書一類，收《漢魏叢書》、《漢魏叢書抄》、《津逮秘書》、《知不足齋叢書》等十二種書。朱文藻案：「諸家簿錄，向無叢書之目。今創立類例，綴於集部之末。蓋『叢』與『集』義本相同，合一人之作兼數種者，謂之『集』；合

---

45 黃永年：《古文獻學講義》（上海：中西書局，2014年），頁61。

46 辛德勇：〈研治古代文史的必備入門書籍——讀黃永年先生著《古文獻學四講》〉，黃永年：《古文獻學講義》，頁318。

數十百人之作兼數十百種者，謂之『叢』，亦可謂之『集』也。」[47]朱文藻認為以往諸家目錄著作中未把叢書單獨類目，他創立叢書類，並認為「叢」、「集」字義本相同，可以通用。

朱文藻對叢書的看法另見於《知不足齋叢書》序言，他說：「叢書之名，何所昉乎？昌黎詩云『門以兩版，叢書其間』，猶叢積之義也。其萃群書而匯為一編，前明始有《漢魏叢書》、《唐宋叢書》、《格致叢書》諸刻。至國朝而新安張氏、錢塘王氏，以及楝亭、雅雨諸家，搜奇集勝，流播藝林者，遂指不勝曲。而唐陸天隨自名其詩文曰《笠澤叢書》，其實權輿也。[48]天隨之言曰：『叢書者，叢脞之書也。叢脞，猶細碎也，細而不遺大，可知其所容矣。』儒者研窮經史，以探其源，而又必氾濫乎諸子百家之書，以竟其流。」[49]一般認為，最早的綜合性叢書出現在南宋，以《儒學警悟》、《百川學海》等書為代表。到明代時，開始正式把「叢書」作為叢書書名的一部分。就著錄而言，明代萬歷年間《澹生堂書目》將叢書設在子部之末，被視為叢書類在目錄著作中立類之始[50]。《明史》〈藝文志〉、《四庫全書總目》都未設「叢書」二級類目，《明史》〈藝文志〉將其附於類書，《四庫全書總目》將其歸於子部「雜家類」。朱文藻在忽略《澹生堂書目》有叢書類目的情況下，認為「諸家簿錄，向無叢書之目」，在集部下創設「叢書類」，且他依據「叢」、「集」的字義相近，將叢書置於集部，似較以往置於子部的做法略勝一籌。他對叢書類目的設立，說明

---

47 （清）朱文藻：《蒐醇堂藏書錄》，《國家圖書館藏稀見書目書志叢刊》，第7冊，頁216。

48 《蒐醇堂藏書錄》中《笠澤叢書》即入集部別集類。

49 （清）朱文藻：〈知不足齋叢書序〉，鮑廷博輯：《知不足齋叢書》（北京：中華書局，1999年），頁7-8。

50 張衍田：〈四部文獻學術源流述略（十二）〉，《中國典籍與文化》1997年第4期，頁55-56。

了他對不斷湧現的叢書的重要性的認識存在過人之處，此後如傅以禮《長恩閣書目》、張之洞《書目答問》以及當代的諸多古籍目錄均採用了「經史子集叢」的五部分類方法，進一步提升了叢書的地位。在這認識發展過程中，將叢書作為二級類目置於集部之下是一個認識上的過渡。

五　分類體系畫分的原則

編撰目錄的過程，即作者利用個人對典籍性質和學術體系的認識，把次序散亂的典籍分門別類，使相連的書籍和類目具備內在關聯的過程。就功用而言，私藏目錄的編制，其一要網羅藏家之書，使人能夠閱其書目而知藏書概況，達到因目尋書和因目知書的效果。其二，辨章學術、考鏡源流，通過圖書編目反映學術、文化潮流變革。後者是更高層面的追求，需要編目者對古代學術發展和當代學術脈搏有更為全面和深刻的把握。藏書的實際狀況和學術的發展變革是朱文藻畫分體系、分類列目的主要原則。其編目一方面兼顧了登記、檢索的需要，另一方面則反映了清代的學術發展狀況。

（一）藏書的實際狀況

朱氏從王杰藏書的實際情況出發，靈活設置類目以便於檢索和利用，為了起到統計藏書的功用，他在每一小類後都列明該類別藏書的數量。朱氏在類目設置中，不拘泥於四部分類法，如藏書中無此部分書籍，則撤去相關類目，如經部未設「樂類」、「孝經類」。若某部類僅有一種圖書，常將其附於相近類目，而不再單獨立類，如將《衡湘稽古》附於志部通志類，縱橫家類僅有《戰國策》一部書故不再設立，將書附列於子部道家。此外，調整部分二級類目的名稱，如史部

設立「譜牒」類，案語記：「諸簿錄家史部分氏族、譜牒為二類。今以二事實相為因，無庸岐別[51]，故並氏族於譜牒之中。諸儒年譜，生平事蹟，分年編載，可與譜牒連累。」[52]將氏族、譜牒、諸儒年譜等性質、編纂體裁相近的十種典籍不再分列而是併入「譜牒」類。再如史部設立「綱鑑」類，朱氏案曰：「《通鑑綱目》諸書皆編年體也，諸簿錄家於史部有編年一類。今所藏者皆闡述涑水、紫陽而別無他書，故節取綱鑑二字，以標其目，不復仍編年之舊稱。」[53]此門類下「葆醇堂」所藏之書僅有《欽定資治通鑑綱目》、《通鑑地理通釋》等十餘種，而無其他編年類典籍，因此朱文藻將「編年」改作「綱鑑」，綜括闡釋《資治通鑑》之書。必須要承認的是，因書籍種類不夠全面和豐富而調整類目是相對無奈的選擇，但在編目中若無此書卻強設此目更顯得牽強頑固。朱氏在編目實踐中不拘泥於既往框架，而是根據葆醇堂藏書的實際情況調整類目畫分和類目名稱，貫徹了變通和發展的觀點，且能在類目變通時以案語闡明其淵源流變和變通的依據，其處理方式靈活創新又有根有據，從而彌補了某些因典籍缺收而調整類目的缺憾。

（二）反映學術發展潮流

自唐至清，四部分類法沿襲千年，不能及時反映學術的變革，使得目錄學與學術史產生了背離。[54]在這期間，一些卓有見地的學者試

---

51 抄本作「岐別」，「岐」通「歧」。

52 （清）朱文藻：《葆醇堂藏書錄》，《國家圖書館藏稀見書目書志叢刊》，第7冊，頁49-50。

53 （清）朱文藻：《葆醇堂藏書錄》，《國家圖書館藏稀見書目書志叢刊》，第7冊，頁19。

54 葛志毅：《譚史齋論稿六編》（哈爾濱：黑龍江人民出版社，2016年），頁396-399。

圖突破四部框架，鄭樵說「類例既分，學術自明」[55]，他的《通志》〈藝文略〉就細分三級類目，分類達數百種，內涵廣博；孫星衍《孫氏祠堂書目》採用十二分法[56]，也頗有新意。余嘉錫就用「欲論次群書，兼備眾門，則宜仿鄭樵、孫星衍之例，破四部之藩籬，別為門類」[57]來表彰鄭樵和孫星衍的做法。當然，在鄭樵和孫星衍之前已有不少學者因時制宜，打破四部藩籬，李日剛《中國目錄學》一書就列有葉盛《菉竹堂書目》、陸深《江東藏書目》、晁瑮《寶文堂書目》、孫樓《博雅堂藏書目錄》、沈節甫《玩易樓藏書目錄》等「突出四部窠臼者十一家」[58]，並揭示了上述書目在分類上的創見和不足。此外，錢曾《讀書敏求記》分七十八小類，王聞遠《孝慈堂書目》分八十五小類，雖然略顯「瑣碎冗雜」，但對開闊視野不無益處。

就典籍的八分法而言，朱彝尊曾於康熙三十八年（1699）在《曝書亭著錄序》中表示將藏書分八類著錄，「錄凡八卷，分八門焉，曰經、曰藝、曰史、曰志、曰子、曰集、曰類、曰說」[59]，但書未刊行，已經失傳，故不知其分類依據；翁方綱在《李南澗墓表》中說李文藻「意欲依《曝書亭著錄》八門之目以編經籍」[60]，亦未見其書；不過雖然如此，也可見他們認識到了四部分類法的局限。朱文藻《葆醇堂藏書錄》一級類目之創設與朱彝尊相同[61]，類目達到三級分類，

---

55 （宋）鄭樵：《通志》〈校讎略〉（北京：中華書局，1995年），頁1806。

56 （清）孫星衍：《孫氏祠堂書目》，頁235-238。

57 余嘉錫：《目錄學發微》（長沙：岳麓書社，2010年），頁152。

58 李日剛：《中國目錄學》（臺北：明文書局，1983年），頁176-192。

59 （清）朱彝尊著，王利民等校點：《曝書亭全集》（長春：吉林文史出版社，2009年），頁417。

60 （清）翁方綱：《復初齋文集》，《清代詩文集彙編》（上海：上海古籍出版社，2010年），第382冊，頁144。

61 《曝書亭著錄》未刊不傳，後李富孫曾予重編，李富孫序云：「竹垞先生好聚書，於是構書亭南以曝之，計得八萬卷，先生嘗欲編其著錄，而迄未成，不數十年，漸

且有案語揭示其分類緣由，其分類方法一方面建立在傳統的四部分類的基礎之上，另一方面，整合了諸小類新設藝部，並將志部、類部、說部提升為一級類目，且在二級類目的設置中也力求突破窠臼，重新認識類書的性質和叢書的價值，集中體現出對四部分類體系的改造和對古代典籍分類法的開拓。

「古籍目錄素有『辨章學術、考鏡源流』的功能，這種功能是通過它的小序和部次分類體現出來的。」[62]朱文藻對小學和金石學卓有專長，被《書目答問》之《國朝著述諸家姓名略》列入小學家和金石學家[63]，他把六書、金石、韻書等類專門列出，別立藝部，不僅出於個人對該內容的重視，更是清代以文字音韻學、金石學等為代表的乾嘉學術勃興的體現，反映著考據學的發展。《葆醇堂藏書錄》金石法帖類共收書十種，其中就有六種為清人著作。類書部和叢書子目的設立一則適應了類書叢書大量湧現的現狀，二則體現了朱氏對此類書籍性質的認識在一定程度上超越前人。志部之書按今天的學科畫分屬於

就散佚。」現存的朱彝尊書目著作如《曝書亭書目》、《潛采堂宋元人集目錄》、《竹垞行笈書目》、《曝書亭藏書集目偶存》等均未採用此八分法。朱文藻為朱彝尊同鄉後學，尊崇其學，曾作《朱竹垞年譜》一卷，未知朱文藻《葆醇堂藏書錄》一級類目之創設是否受到朱彝尊之啟發，但朱文藻在案語中多云「諸家簿錄」所設，意在創立標目，多有新意；且朱彝尊此序文未言及二三級類目之設置辦法，朱文藻之二三級類目創設或為己見。見張宗友：《朱彝尊年譜》（南京：鳳凰出版社，2014年），頁447；（清）許瑤光修，吳仰賢等纂：《光緒嘉興府志》，卷80，〈經籍志〉，《中國地方志集成‧浙江府縣志輯》（上海：上海書店出版社，1993年），第14冊，頁606；（清）朱彝尊：《曝書亭書目》（國家圖書館藏劉氏味經書屋抄本）；（清）朱彝尊撰，杜澤遜、崔曉新點校：《曝書亭書目‧潛采堂宋元人集目錄‧竹垞行笈書目》（上海：上海古籍出版社，2010年），頁329-402；（清）朱彝尊：《曝書亭藏書集目偶存》，《南京圖書館藏稀見書目書志叢刊》（北京：國家圖書館出版社，2017年），第7冊。

62 周少川：《古籍目錄學》（鄭州：中州古籍出版社，1993年），頁214。

63 （清）張之洞：《書目答問》（上海：上海古籍出版社，2001年），頁264、286。

地理類書籍，此前該部分典籍常收在史部，正如小學附在經部之末一般。從《隋書》〈經籍志〉到《通志》〈藝文略〉，再到《四庫全書總目提要》，地理類始終作為史部的內容而存在。朱文藻在圖書分類中將地理立為一部，使地理書擁有與史部書平行的關係，而不再統屬於史部。這除了因王杰官任要職，故有了解各地形勢的需要，地理類藏書很多，具備在書目中單獨立目的條件外，更深層的原因還是清代諸多學者從政治、經濟、軍事等多角度深研輿地之學，使地理類書籍逐漸增多的結果，是清代經世致用學風的體現。此外，他對史部典要類、子部雜家類、釋家類、道家類的設立和順序調整也都納入了考證實用和學術變遷等因素的綜合考量。因而可以說，為反映清代學術發展潮流而創新目錄分類體系，是朱文藻變革類目的主要動力。

朱文藻《葆醇堂藏書錄》倖存一抄本，使人得知其八分法體系，但其長期深鎖書庫，不為人所用，故其價值不為前人充分認識。是書靈活變通地部次群書，歸納學術，豐富了圖書分類和學術總結的實踐。通過其分類體系和簡述學術源流、闡釋分類緣由的案語，可以窺見乾嘉學人對學術演進的認識，也可以借此把握清代的學術潮流和風尚，其價值應該得到重視。

——原刊於《大學圖書館學報》二〇二〇年第二期
在審稿階段得到匿名外審專家的指導，專此致謝

志書編修與學術生態
──以乾隆至道光年間濟寧金石志之修撰為中心

　　學術生態借用生態學的概念，強調學術與政治氛圍、社會環境、文化思潮之間以及各學術主體之間相互聯繫、彼此制約。金石志即金石目錄，陸增祥所云「古人事蹟，史不悉載，賴金石以傳之。金有時毀，石有時泐，賴墨本以傳之。墨本聚散何常，存亡何定，賴著錄以傳之」[1]，就指出金石志的價值所在。目錄之書因著錄內容相似而前後因襲，方志之書亦多「奉行故事，開局眾修」[2]，地方金石志兼採目錄和方志的特點，其文本前後相因，又成書眾手，參與編修的學者與所處學術生態之間的聯繫相當緊密。

　　出於金石材料在經史考據領域的重要價值，清代學者廣搜金石碑版並著錄考訂，使金石學成為一時顯學。山東多碑碣，錢大昕曰：「山左聖人故里，秦漢魏晉六朝之刻所在多有，曲阜之林廟，任城之學宮，岱宗靈巖之摩厓，好事者偶津逮焉，猶挹水於河，而取火於燧矣。」[3]阮元則稱「山左兼魯齊曹宋諸國地，三代吉金，甲於天下」[4]。其中，濟寧又有「天下漢碑半濟寧」之譽。清代乾隆至道光年間，曾

1　（清）陸增祥：《金石續編跋》，陸耀遹撰《金石續編》（上海：上海古籍出版社，2020年），頁3-4。
2　梁啟超：《中國近三百年學術史（新校本）》（北京：商務印書館，2011年），頁357。
3　（清）畢沅、阮元撰：《山左金石志》，《續修四庫全書》（上海：上海古籍出版社，1999年），史部，第909冊，頁367。
4　（清）畢沅、阮元撰：《山左金石志》，《續修四庫全書》，史部，第909冊，頁368。

有黃易、馮雲鵷等不少金石學家致力於對濟寧金石的搜輯考證，對此，學界已有陳鴻森、盧慧紋、薛龍春、孟凡港等學者給予關注。[5]乾隆年間，朱文藻為黃易代撰《濟寧金石錄》，而書終不傳，其事罕為人知；道光時，楊鐸撰稿本《濟寧金石志》，與徐宗幹《濟寧州金石志》在內容上互有異同，牽連頗深。筆者試圖通過梳理清代乾隆、道光年間濟寧州金石目錄的編纂歷史，並對比相關文本，揭示學術生態對典籍及作者的複雜影響，發掘典籍文本形成與最終呈現的細節，推動清代學術史的研究。

一　朱文藻《濟寧金石錄》的編撰及命運

清代中期，黃易任職於山東濟寧，篤好金石，有「乾嘉訪碑第一人」之譽，曾起武梁祠畫像石於濟寧嘉祥，轟動一時，「凡四方好古之士得奇文古刻，皆就易是正」。[6]黃易久在河道為官，好搜訪，廣交遊，積累了不少碑刻和拓片，阮元稱黃易收集金石碑刻多至三千餘種。黃易欲編《濟寧金石錄》，延聘同鄉朱文藻襄助。朱文藻，字映漘，號朗齋、碧溪居士，仁和（今浙江杭州）諸生，以為人編校典籍

5　盧慧紋關注了黃易和翁方綱在濟寧的訪碑活動，薛龍春重點探討了黃易的金石學交遊，孟凡港討論了阮元《山左金石志》的編修經過和學術價值，陳鴻森先生則在〈朱文藻年譜〉、〈被遮蔽的學者——朱文藻其人其學述要〉等文章中考辨朱文藻的學術活動和貢獻並特別指出朱文藻經歷中的學術代工情況。見盧慧紋：〈漢碑圖畫出文章——從濟寧州學的漢碑談十八世紀後期的訪碑活動〉，《國立臺灣大學美術史研究集刊》第26期（2009年3月），頁37-92；薛龍春：《古歡——黃易與乾嘉金石時尚》（北京：三聯書店，2019年）；孟凡港：《阮元山左金石志研究》（北京：中華書局，2019年）；陳鴻森：〈朱文藻年譜〉，南京大學古典文獻研究所主編：《古典文獻研究》（南京：鳳凰出版社，2017年），第19輯，下卷；陳鴻森：〈被遮蔽的學者——朱文藻其人其學述要〉，上海社會科學院《傳統中國研究集刊》編輯委員會編：《傳統中國研究集刊》（上海：上海社會科學院出版社，2017），第16輯。

6　趙爾巽等撰：《清史稿》（北京：中華書局，1977年），頁13420。

為業。赴濟寧編書之前，朱氏多坐館於杭郡汪氏振綺堂整理圖籍，亦曾應大學士王杰之聘助校四庫之書，其著述達數十種之多，存者多為稿抄本，流傳不廣，張之洞《國朝著述諸家姓名略》將其列之於小學家和金石學家。[7]因《濟寧金石錄》今未見流傳，所以朱文藻為黃易代撰之功知者寥寥。乾隆五十八年（1793）時，翁方綱至濟寧，觀碑之餘作詩云：「著錄煩朱老，叢殘叩鐵橋。濟州金石釋，端不讓張弨。」其詩自注：「秋盦將屬朱朗齋為輯《濟寧金石錄》也。」[8]秋盦為黃易之號，朱老、朗齋即指朱文藻，鐵橋指濟寧士人、帖賈李東琪，依此詩大略可知黃易請朱文藻纂輯《濟寧金石錄》的情況。朱文藻編纂該書，除排纂黃易既有的碑刻、拓片之外，自己也進行多方搜輯，如《程伯常洪山頂題名》、《姜三校洪山頂題字》乃朱氏親至洪山絕頂所拓，《萌山閏九日詩刻》也是他攀至嘉祥縣萌山石壁所得。在朱文藻參與修撰的《山左金石志》中，可以看到有關朱氏訪碑的記載。[9]或許是因其在書中傾注了不少心血，朱文藻晚年仍將修撰的《濟寧金石錄》視為個人在金石學領域的重要成績，他在《金石萃編跋》中歷數自己與金石之緣曰：「先是，客京師，寓大學士韓城王文端公邸第，值文端充《續西清古鑑》館總裁，得見內府儲藏尊彝古器摹本三百餘種。後客任城小松司馬署，得見濟寧一州古今碑拓數百種，遂手自摹錄，成《濟寧金石志》[10]。繼客濟南，赴阮中丞芸臺先

7　（清）張之洞撰，范希曾補正：《書目答問補正》（上海：上海古籍出版社，2001年），頁268、264。

8　（清）翁方綱：《復初齋詩集》，《清代詩文集彙編》（上海：上海古籍出版社，2010年），第381冊，頁403。

9　（清）畢沅、阮元撰：《山左金石志》，《續修四庫全書》，史部，第910冊，頁29、10、141。

10　即《濟寧金石錄》，《金石萃編跋》創作時間較晚，題名有所不同。本文採用朱文藻致邵晉涵信劄及翁方綱詩中的早期題名。

生之招。時視學山左，遍搜碑碣，得見全省拓本千數百種，贊成《山左金石志》，刻以行世。」[11]在給邵晉涵的信劄中，朱氏提及：「今歲應兗州運河司馬黃小松之聘，就館濟寧，課讀其子。司馬富於金石，屬纂《濟寧金石錄》，響拓其文，摹繪其畫，備採諸家題跋，附以管見考證，創稿於夏，已成十之七八，開春可以脫稿。」[12]依據上述文字，不僅可知《濟寧金石錄》已基本完稿，且其書有釋文，並附諸家題跋及個人考證，體例完備。

　　朱文藻代撰的《濟寧金石錄》成書之後之所以無緣刊刻，是因為阮元啟動了更宏大的項目——《山左金石志》，《山左金石志》覆蓋並吸納了該書的內容。朱文藻說，段松苓「至濟寧，見黃秋盦司馬，訪漢魏諸碑於州學，得余所著《濟寧金石錄》，攜歸濟南」[13]，以備志書採擇。之後，阮元延聘朱文藻到濟南，參與修撰《山左金石志》。對此，阮元云：「過濟寧學，觀戟門諸碑及黃小松司馬易所得漢祠石象，歸而始有勒成一書之志……元在山左，卷牘之暇，即事考覽，引仁和朱朗齋文藻、錢塘何夢華元錫、偃師武虛谷億、益都段赤亭松苓為助。兗、濟之間，黃小松司馬搜輯先已賅備，肥城展生員文脈家有聶劍光釹《泰山金石志》稿本，赤亭亦有《益都金石志》稿，並錄之得副墨。其未見著錄者，分遣拓工四出，跋涉千里。」[14]可見阮元為修撰《山左金石志》，邀請朱文藻、何夢華、武億、段松苓襄助其

11　（清）朱文藻：《金石萃編跋》，《續修四庫全書》（上海：上海古籍出版社，1999年），史部，第886冊，頁451。

12　陳鴻森：〈朱文藻碧溪草堂遺文輯存〉，程水金主編：《正學》（南昌：江西人民出版社，2016年），第4輯，頁396。

13　（清）段松苓輯：《益都金石記》，《石刻史料新編》（臺北：新文豐出版公司，1982年），第1輯第20冊，頁14806。

14　（清）畢沅、阮元撰：《山左金石志》，《續修四庫全書》，史部，第909冊，頁368。阮元序中所指《益都金石志》，即《益都金石記》。

事,「兗、濟之間,黃小松司馬搜輯先已賅備」則應指朱文藻代編的
《濟寧金石錄》,是書與《泰山金石志》稿本、《益都金石記》一併被
收入《山左金石志》。對此,陳鴻森先生指出:「黃易的《濟寧金石
錄》、聶鈫的《泰山金石志》和段松苓《益都金石志》等,均有成
書,但這些著作未及出版,即為阮元《山左金石志》所吸收消化,在
此,我們可以看到一種『掠食』性的學術生態鏈。」[15]徐宗幹評《山
左金石志》:「集厥大成,於金則商周彝器以及泉刀鏡印之屬,於石則
漢魏豐碑以及唐宋金元銘刻之類,粲然大備。核其出產,大抵得自任
城者居多,蓋由好之者有人,故物亦聚之。」[16]任城即濟寧之別稱,
他注意到《山左金石志》所記濟寧金石尤多。陳鴻森先生也指出,
「整部《山左金石志》以兗州、濟寧金石搜羅、考證最富,則是不爭
之事實」。[17]這些評價側面反映了朱文藻《濟寧金石錄》並非不足傳世
的倉促之作。

　　乾隆六十年(1795)九月,阮元從山東移任浙江,時《山左金石
志》僅編纂數月,尚未完成,阮元稱「舟車校試餘閑,重為釐訂」;
實際上,代阮元將諸多材料薈萃成書的仍是《濟寧金石錄》的實際編
修者朱文藻。阮元調任時,《山左金石志》原纂修團隊散去,朱文藻
隨阮元歸杭。之後,揚州江振鴻延請朱文藻坐館於康山草堂,為其提
供著書的便利,朱文藻得以將《山左金石志》編錄完成,梁同書在
《文學朗齋朱君傳》中說:「芸臺先生得拓本數千種,將謀纂集,適
調任浙江,延君歸杭州。明年,以各碑拓本錄為《山左金石志》。時

15 陳鴻森:〈被遮蔽的學者——朱文藻其人其學述要〉,《傳統中國研究集刊》,第16
　　輯,頁18。

16 (清)徐宗幹輯:《濟寧州金石志》,《石刻史料新編》(臺北:新文豐出版公司,
　　1979年),第2輯第13冊,頁9395。

17 陳鴻森:〈被遮蔽的學者——朱文藻其人其學述要〉,《傳統中國研究集刊》,第16
　　輯,頁20。

揚州江文叔重君名，延館於其家。君遂偕張椿年攜各拓本應之，寓康山草堂……一年，《金石志》成。」[18]嘉慶元年（1796）十二月，錢大昕應阮元之邀為《山左金石志》撰序。嘉慶二年十月，全書刻成，阮元序之。朱休度作詩稱朱文藻「胸握珍珠能記事，手編鐵網竟成書」，其詩自注「朗齋撰《山左金石錄》，稿成八十巨冊」[19]。可見朱文藻於《山左金石志》的編錄增訂之功受到同人認可。嘉慶元年三月，段松苓回顧阮元在濟南主持纂修《山左金石志》的情形說：「端陽，還歷下，而偃師武進士億、仁和朱茂才文藻已集蓮子湖上矣，蓋二先生亦宮詹所招，與余同纂山東金石者也。前所劄致已陸續稍集，兼余所挾數百種，已裒然可觀。於是，命余編次山左吉金，而二先生分錄列代碑版。宮詹總其成，而裁定之，已有成緒。」[20]按照段松苓所述，在濟南編纂時期，朱文藻同武億負責「分錄列代碑版」，段氏負責「編次山左吉金」，阮元被書寫為「總其成者」、「裁定者」。阮元移節浙江後，朱文藻用時一年將是書編訂成帙，書稿經趙魏覆校後刊刻行世，阮元又被視為「手自刪訂」[21]之人。由此可見，中下層文士之聲譽名望常因其面臨著個人著述無力付梓的困境和入高官大儒之幕而不得彰顯，他們在集體著述中的成果常常被雇主所佔用。《濟寧金石錄》為《山左金石志》所囊括之後自然不再具備獨立的學術價值，故朱氏纂修之勞不再為人關注，而其在《山左金石志》中的貢獻也註定被阮元所掩蓋。

---

18 （清）梁同書：〈文學朗齋朱君傳〉，朱文藻：《朗齋先生遺集》（清道光二十五年崇雅堂刻本），卷首。

19 （清）朱休度：《俟寧居偶詠》，《清代詩文集彙編》（上海：上海古籍出版社，2010年），第378冊，頁578。

20 （清）段松苓輯：《山左碑目》，《石刻史料新編》（臺北：新文豐出版公司，1979年），第2輯第20冊，頁14816。

21 （清）畢沅、阮元撰：《山左金石志》，《續修四庫全書》，史部，第909冊，頁367。

二 徐宗幹修《濟寧州金石志》

梁啟超一方面認為方志「不足以語於著作之林」，一方面又指出「其間經名儒精心結撰或參訂商榷者亦甚多」。[22]有清一代，濟寧州志經過康熙、乾隆、道光、咸豐各朝多次修撰，其中參訂商榷者不乏名儒。乾隆年間四庫館臣周永年纂修的三十四卷本《濟寧直隸州志》卷帙最為宏富，而道光年間徐宗幹所修十卷本《濟寧直隸州志》則因經許瀚等名儒之手，被梁啟超列入「著作之林」。[23]道光十八年（1838）至道光二十二年，徐宗幹任濟寧知州，頗有佳名。道光二十四年，徐宗幹途經濟寧，與許瀚等友人相會，離開時，「轉身跪謝諸送者，榮極、謙極。濟之紳士兵民，候送者綿綿數十數里不絕」。[24]徐宗幹纂輯《濟寧直隸州志》，是書未成而續編之《濟寧州金石志》卻率先成書，此緣諸多學者襄助其事。徐氏序云：

> 公事之暇，每屆漁山書院課期，山長許印林同年談及金石一事，娓娓不倦。適集軒來濟，並與汪孟慈太守及幕賓楊石卿隨時參考，爰捐廉購求遺文，並遣拓工於城內四鄉及金、嘉、魚三縣，學宮寺觀，深山穹谷，靡不椎拓殆遍。日積月累，盈箱滿架，方纂輯《濟州志》，尚未告竣而續編《金石志》八卷業已完備。因先為梓行，以公同好。[25]

---

22 梁啟超：《中國近三百年學術史（新校本）》，頁357-358。

23 梁啟超：《中國近三百年學術史（新校本）》，頁360。

24 （清）許瀚著，崔巍整理：《許瀚日記》（石家莊：河北教育出版社，2001年），頁196。

25 （清）徐宗幹輯：《濟寧州金石志》，《石刻史料新編》，第2輯第13冊，頁9395-9396。

　　序中所述參與金石志工作的學者有許瀚、馮雲鵷、汪喜孫、楊鐸
等人。許瀚自道光二十年時應徐宗幹之請主講漁山書院，被聘為《濟
寧州志》總纂[26]，其《攀古小廬雜著》記：「道光辛丑、壬寅間，余方
輯《濟寧金石志》。」[27]道光二十三年時，因許瀚離開濟寧，楊炳春繼
任漁山書院山長，並參與《濟寧州志》和《濟寧州金石志》的修撰工
作。編校後期，馮雲鵷將《濟寧州金石志》統稿完成。馮雲鵷曾與其
兄馮雲鵬作《金石索》，以金石研究見長。據馮氏道光二十三年八月
所作跋文，馮氏「買棹南旋，途次濟寧，時徐樹人觀察尚為濟寧州刺
史，強為留住漁山書院纂修《濟寧州志》。一年有餘，成《志稿》四
十卷，樹人將赴四川太守任，挾之而去，囑修《濟寧金石志》，竊思
《金石》一書附《志》以行⋯⋯凡八閱月，成書八卷」。[28]道光二十二
年，馮雲鵷結束《濟南金石志》的編修工作後，來到濟寧參與修《濟
寧直隸州志》，並負責將《濟寧州金石志》薈萃成編，至道光二十三
年八月，統稿完成。道光二十五年春，徐宗幹命金光耀負責校對，覓
工刊刻行世，刻書者署「三山宋鐘鳴」。[29]

　　就取材而言，朱文藻所修《濟寧金石錄》應該主要取材於黃易多
年徵集積累的碑版、拓片等，少量金石為新探訪所得。參與編修《濟
寧州金石志》的人員更多，採擇材料相對廣博。金光耀在序中稱頌徐
宗幹的搜訪之功：「凡金石文字之在任城附近者，自通都大邑、故家
世室之所藏與夫琳宮梵宇、芄邱斷隴、委巷窮市，風雨之所剝落、牧
豎之所摧殘、零珪斷璧之漫漶而不可辨認者，皆捐俸購工搜羅椎

26 袁行雲：《許瀚年譜》（濟南：齊魯書社，1983年），頁108-110。

27 （清）許瀚：《攀古小廬雜著》（清刻本）。

28 （清）徐宗幹輯：《濟寧州金石志》，《石刻史料新編》，第2輯第13冊，頁9740。

29 以上分別見徐宗幹輯：《濟寧州金石志》，《石刻史料新編》，第2輯第13冊，頁
　　9741、9464、9503、9540、9579、9648、9694、9742。

拓。」[30]《濟寧州金石志》在徐宗幹的主持下，有諸多金石學者參與纂修，一方面他們可以貢獻個人所藏，另一方面也擴充了搜訪金石的信息渠道和徵集網絡。如許瀚的「漢王氏鏡」、「唐玉篆鏡」、「唐清華鏡」，馮雲鵷的「漢宜侯王鏡」等均為參纂人員於濟寧尋訪所得；而「元至大銅權」為「邗江汪廷熙得於濟寧」，「周楚戈」為「錢有山治光得於濟寧」，「周豐伯敦」為「運河司馬孫翰卿所藏，借拓於漁山書院中」，則為見於友朋之器，以上種種，均被納入《濟寧州金石志》。[31]徐氏所修《濟寧直隸州志》刪汰後僅十卷，而《濟寧州金石志》卻達八卷之多，足見濟寧金石之豐和志書採擇之富。

除了尋訪金石之外，徐宗幹所修《濟寧州金石志》也從《金石錄》、《金石索》等碑刻文獻中廣輯材料，其中引用最多的是《山左金石志》。因朱文藻所修《濟寧金石錄》的文本已被拆散揉入《山左金石志》，徐宗幹修《濟寧州金石志》，復從《山左金石志》中輯出濟寧金石，故一定程度上，該書復原了朱氏所修《濟寧金石錄》的面貌。如《濟寧州金石志》卷一所記五十餘枚漢印中，有四十餘枚漢印已為《山左金石志》所錄，僅有十餘枚為新增補之印；所記十八枚漢代私印如「漢劉榮印」、「漢李廣印」、「漢孔霸印」等則全部輯自《山左金石志》。徐書的文字、史實考訂亦多採《山左金石志》中朱氏的說法，故全書引「《山左金石志》云」之處極多。可以推見，雖然經過了《山左金石志》的轉述和間隔，但徐宗幹的《濟寧州金石志》仍與乾隆間朱文藻代撰的《濟寧金石錄》存在很大的關聯性。

然《山左金石志》於嘉慶二年刊成，至徐氏修志時已有四十餘年，《濟寧州金石志》也增補了許多新見材料。四十餘年間，新見的

---

30 （清）徐宗幹輯：《濟寧州金石志》，《石刻史料新編》，第2輯第13冊，頁9741。

31 以上器物分別見徐宗幹輯：《濟寧州金石志》，《石刻史料新編》，第2輯第13冊，頁9426、9448、9425、9455、9408、9406。

濟寧碑版數量不少，依據《濟寧州金石志》進行統計，該書增補嘉慶二年以後至道光時的碑刻百餘種，其中，卷五增補了六十七則，卷六增補了十五則，卷七增補了二十一則，卷八增補了十二則。徐宗幹之書後附有吳國俊、陸以鈞、查鼎等人題贈詩文，稱許其搜羅考訂之功。此外，尹彭壽《諸城金石志序》云：「阮文達公視學吾東，有《山左金石志》之纂，著錄通省金石，原書所載拓本千三百餘事，最稱繁複。厥後官吾東者南通州馮氏雲鵷有《濟南金石志》，徐氏宗幹有《濟寧州金石志》，詳及一郡，益復精密。」[32]《濟寧州金石志》的水準得到學者的肯定。從此，徐氏之書行，而此前朱文藻所編《濟寧金石錄》書稿卻被人忘卻，這一定程度上也是學術生態等多重因素影響的結果。

三　上圖藏稿本《濟寧金石志》的推斷

上海圖書館藏有一種四卷本《濟寧金石志》，《中國古籍總目》著錄為稿本，登記纂修者為佚名，[33]鈐印有「包世臣印」、「半哭半笑樓珍藏印」、「右任之印」、「江都湯運順過眼」、「思半」等內容，無序跋可考。書前列有目錄，登記器物之名，全書共錄二百餘件器物，每一器物，先列其名，摹其形制，再闡明銘文內容及器物形制、出處，間以案語指明其價值。凡印章均以紅筆描於方形白紙，黏於印名之後。以該稿本《濟寧金石志》同徐宗幹《濟寧州金石志》互勘，可發現作

32　（清）尹彭壽：《諸城金石志序》，劉錚雲主編：《中央研究院歷史語言研究所傅斯年圖書館藏未刊稿抄本》（臺北：中央研究院歷史語言研究所，2015年），史部，第36冊，頁469。

33　中國古籍總目編委會編：《中國古籍總目》（上海：上海古籍出版社，2012年），頁4820。

者相關線索。如「宋印造鈔庫之印」，徐宗幹《濟寧州金石志》案語云「按此印本在曲阜，商城楊石卿於濟寧見之」[34]，而上圖藏稿本《濟寧金石志》於此印之後記「宋印造鈔庫之印，鐸見於濟寧」[35]。又如「晉臨淮太守章」，《濟寧州金石志》記「商城楊石卿見於濟寧」[36]，而稿本《濟寧金石志》記「右印文曰臨淮太守章，徑一寸，龜鈕白文。鐸見於《濟寧古印初集》」。[37]類似的例子還有很多，故初步推測，上圖藏稿本《濟寧金石志》為中州金石學家楊鐸所撰。

楊鐸曾參與徐宗幹《濟寧州金石志》的修撰，其人聲名不顯，《墨林今話續編》有一小傳：「楊石卿鐸，自號石道人，河南商城人，天資穎異，酷嗜金石之學。少歲即遍遊齊魯燕趙、吳越江漢，尋碑訪碣，孜孜不倦。結交多勝流名士，高談雄辯，征逐於酒旗歌板間，頗有晉人風味。畫善花卉，下筆俊爽，迅掃疾馳，數十幅立盡。有李復堂、黃癭瓢逸趣。同人咸推重之。」[38]楊鐸活躍在道光時期的金石交際圈，尤與許瀚往來密切。據《許瀚日記》，許瀚與楊鐸常一同出行搜訪碑碣，如道光二十一年五月，二人曾同赴嘉祥拓武梁祠畫像。[39]許瀚過世後，楊鐸為其作《許印林先生傳》，並在其中回憶與許瀚的交遊：「庚子，主講漁山書院。濟寧修輯《州志》，刺史徐樹人中丞聘同膠州牧馮集軒為總纂，鐸亦與分纂[40]，朝夕共硯幾。」、「鐸與

34　（清）徐宗幹輯：《濟寧州金石志》，《石刻史料新編》，第2輯第13冊，頁9450。

35　（清）楊鐸：《濟寧金石志》（稿本）。

36　（清）徐宗幹輯：《濟寧州金石志》，《石刻史料新編》，第2輯第13冊，頁9440。

37　（清）楊鐸：《濟寧金石志》（稿本）。

38　（清）蔣寶齡撰，程青岳批註，李保民校點：《墨林今話》（上海：上海古籍出版社，2015年），頁449。

39　（清）許瀚著，崔巍整理：《許瀚日記》，頁160。

40　在《濟寧直隸州志》職名表中，徐宗幹署名纂修，許瀚、楊炳春、馮雲鵷等署名編輯，楊鐸為採訪。徐宗幹撰：《道光濟寧直隸州志》，《中國地方志集成・山東府縣志輯》（南京：鳳凰出版社，2004年），第76冊，頁4-5。

先生通家世好，交垂三十年。」[41]

　　楊鐸還有《中州金石目》、《函青閣金石記》兩部金石學著作，《函青閣金石記》也著錄了上圖藏稿本《濟寧金石志》中的部分器物，如「商扶旅鼎」、「商子孫父乙角」、「周召伯鼎」、「周召伯盉」、「周太保鼎」、「周太保彝」、「周犧尊」、「周宋公佐戈」、「周楚戈」等，兩書部分敘錄文字相同。在著錄內容上，上圖藏稿本《濟寧金石志》與徐宗幹《濟寧州金石志》卷一高度重合，上圖藏稿本《濟寧金石志》全書共記二百餘件器物，其中僅有十餘件未列入《濟寧州金石志》。就材料來源而言，上圖藏稿本《濟寧金石志》也從《山左金石志》等金石文獻中摘取材料，再增補以新見的金石。此外，在敘錄的撰寫體例和文字內容上，楊鐸之書和徐宗幹之書也基本保持一致。《濟寧州金石志》對「元回文鏡」、「仙人不老鏡」等多則器物的著錄，均採納了楊鐸的說法。[42]

　　根據以上描述可以推斷，楊鐸稿本《濟寧金石志》應撰成於《濟寧州金石志》之前，《濟寧州金石志》撰寫時，作為分纂人的楊鐸提供了已有的金石器物和研究成果。從上圖藏稿本《濟寧金石志》來看，楊鐸在《濟寧州金石志》編纂中的貢獻應是較為突出的。在分量上，《濟寧州金石志》卷一內容最為豐富，而這部分內容的主要依據應是楊鐸稿本《濟寧金石志》。馮雲鵷在《濟南金石志》卷一《歷代金》的序文中說：「第金石並稱，而碑碣則屹立不移，彝器則轉徙無定，故舊志所載有石而無金，殆難言之矣……國家憲章稽古，歷代法物並載《西清古鑑》，辨《宣和圖錄》之誤，證歐薛諸說之訛。雖管窺蠡測，莫睹高深，而體例攸存，不容缺略，茲廣搜博採，匯為一

41　袁行雲：《許瀚年譜》，頁381-382。

42　（清）徐宗幹輯：《濟寧州金石志》，《石刻史料新編》，第2輯第13冊，頁9456、9426。

帙，亦以補舊志所未備云爾。」[43]他強調了金石目錄著錄歷代金器的
必要性，同時也在序文中承認，因金器較易搬運，遷徙不定，故著錄
歷代金器相對比較困難。這說明在《濟寧州金石志》的編校中，分纂
人楊鐸可能承擔了相對困難的工作任務。《濟寧州金石志》序後附有
《濟州金石志編校姓氏》，列有編校人員「馮雲鵷、許瀚、楊炳春、
金光耀、楊鐸、吳國俊、朱椿、鄭廷錦、馬逢皋、張用禧、孔昭慈、
袁曦業、信和來、史密」等十數人之多。[44]馮雲鵷與許瀚雖同列總
纂，但馮氏作為徐宗幹的同鄉，曾任曲阜知縣，將書稿整理成書，自
然排在許瀚前，名列第一位，而江蘇舉人楊炳春繼任為山長，金光耀
負責成書後的覓工校刻工作，故位次均在監生楊鐸之前，即便楊鐸參
與項目的時間更早，也只好屈居數人之後了。若無上圖藏稿本《濟寧
金石志》存世，楊鐸在《濟寧州金石志》中的貢獻也容易被忽略。

四　學術生態如何影響典籍傳存和作者聲名

　　學人幕府所修撰之書的參纂者、代撰者的署名會受到學術生態的
影響，這一點已經成為共識。此外，朱文藻代編的《濟寧金石錄》被
《山左金石志》容納吸收，楊鐸《濟寧金石志》被徐宗幹《濟寧州金
石志》採擇攝取，遂使朱、楊二人之書罕為人知，這也是學術生態造
成的結果。從濟寧一地金石志的編修歷程中可以窺見學術生態影響學
者聲譽名望和典籍之存傳顯晦的若干方式和細節。

---

43 （清）馮雲鵷撰：《濟南金石志》，《石刻史料新編》（臺北：新文豐出版公司，1979
　　年），第2輯第13冊，頁9777。

44 （清）徐宗幹輯：《濟寧州金石志》，《石刻史料新編》，第2輯第13冊，頁9397。

（一）作者身份影響志書收錄的範圍

地方志書的修撰往往帶有構建地方認同的目的，身居高位者有權力和資源啟動大型的志書編纂項目，兼併小型志書。朱文藻、段松苓等人，「同有金石之癖，皆不利於場屋，皓首為老諸生」[45]；雖「著書考證皆不知倦」，但只能替人編書以求謀生。《濟寧金石錄》是朱文藻代兗州運河司馬黃易所纂，《益都金石記》是段松苓搜羅家鄉益都金石之稿。錢大昕云「近時黃小松、李南澗、聶劍光、段赤亭輩雖各有編錄，只就一方，未賅全省」[46]，則提出了編纂全省金石志的必要性。毫無疑問，山東學政阮元所主持的《山左金石志》，並收山東十一府兩州之金石共一千二百餘種，其體量自然是《濟寧金石錄》和《益都金石記》所不能及的。汪喜孫說：「山左金石自北平翁覃溪學士視學茲土，始輯《兩漢金石記》，好古之士漸知向方。厥後，孫淵如觀察、黃小松司馬來者接踵，曲阜顏運生司馬、桂未穀大令、滋陽牛階平大令、褚千峰居士，俱各著書並行於世。至儀徵阮芸臺相國提學來東，始集其成，作《山左金石志》，自漢至元，吉金樂石粲然大備。」[47]《山左金石志》吸納了《濟寧金石錄》、《益都金石記》的研究成果，成為山左金石的集大成者，其著錄範圍覆蓋山東全省，包涵了段氏《益都金石記》和朱氏的《濟寧金石錄》所涵蓋的益都和濟寧等地，在《山左金石志》的光環下，段、朱二書的價值大打折扣。段氏《益都金石記》相對幸運，歷經百年重新面世復活，「段君一窮諸生耳，沒且近百年」[48]，其書在光緒八年（1882）由益都知縣李漋得於柳泉，光緒九年刊刻行世，而朱氏書則就此湮沒而乏人問津。

45　（清）朱文藻：〈益都金石記序〉，《石刻史料新編》，第1輯第20冊，頁14807。

46　（清）畢沅、阮元撰：《山左金石志》，《續修四庫全書》，史部第909冊，頁367。

47　（清）汪喜孫撰：〈濟南金石志序〉，《石刻史料新編》，第2輯第13冊，頁9775。

48　（清）段松苓輯：《益都金石記》，《石刻史料新編》，第1輯第20冊，頁14805。

　　除了因地域範圍造成大書對小書的兼併之外，志書著錄範圍的大小和時間段限的長短也是造成書與書兼併的原因。刻本《濟寧州金石志》比楊鐸《濟寧金石志》的著錄範圍廣泛得多，徐宗幹《濟寧州金石志》共八卷，「上自商周法物，秦漢巨制，下逮唐宋元明之所留遺，舉凡鐘鼎槃盂、泉刀鏡印、鐙權牌版、篆籀銘刻之屬，莫不燦然大備」[49]；而稿本《濟寧金石志》僅有四卷，所涵內容為歷代金器，即《濟寧州金石志》卷一所記「商周彝器以及泉刀鏡印之屬」。其次，《濟寧州金石志》卷一在楊鐸《濟寧金石志》的基礎上增補了部分新見器物，因此有些器物不見於楊鐸《濟寧金石志》，如「唐玉篆鏡」為道光二十三年，「漁山書院山長日照許印林得之任城市中」[50]；「唐清華鏡」、「元准提背相畫象鏡」亦為「日照許君印林得之任城」[51]，未見著錄於稿本《濟寧金石志》。就時間段限而言，上圖藏稿本《濟寧金石志》與大多數清代金石目錄相同，記器物止於元代；而《濟寧州金石志》卷一在元朝之後，還記有明朝鏡、瓶、壓勝錢等十餘種，對此，馮雲鷚在跋文中解釋說：「惟前明文義淺近，亦與建置有關；而國朝高文典冊，名作如林，超軼往古，又不可以時代限之。」[52]將元代之後的文物亦採擇入志，破除了對明清器物的輕視，擴大了材料範圍和研究視野。楊鐸所纂《濟寧金石志》只著錄元以前的歷代金器，而《濟寧州金石志》在知州徐宗幹的主持下，諸多學者參與成事，搜羅採輯廣泛，金石兼備、時段延長，自然價值更高，在典籍流通的競爭中佔據優勢。由此可見，高官大儒地位尊崇、資金雄厚，得延諸多

49　（清）徐宗幹輯：《濟寧州金石志》，《石刻史料新編》，第2輯第13冊，頁9741。

50　（清）徐宗幹輯：《濟寧州金石志》，《石刻史料新編》，第2輯第13冊，頁9448。

51　（清）徐宗幹輯：《濟寧州金石志》，《石刻史料新編》，第2輯第13冊，頁9448、9456。

52　（清）徐宗幹輯：《濟寧州金石志》，《石刻史料新編》，第2輯第13冊，頁9740。

幕僚襄助，他們能夠發起地域、時間範圍更廣，著錄類型更多的志書編纂項目，這使小型志書在典籍流通傳藏中更容易受到優勝劣汰原則的影響。

（二）編修環節中的刪改影響底稿作者原意的呈現

在書籍從收集材料到編纂成書的過程中，一些大的志書在兼併小型志書後，統稿者、校對者可能通過刪改、提煉底稿文本，影響底稿撰寫者學術成果的呈現。

《山左金石志》由阮元邀請朱文藻、段松苓、武億、何元錫等多位學者襄助纂成，朱文藻統稿，趙魏復核，署名阮元；《濟寧州金石志》由徐宗幹延聘許瀚、馮雲鵷、楊炳春、楊鐸等多人纂成，馮雲鵷統稿，署名徐宗幹。《山左金石志》對《濟寧金石錄》文本處理的具體方式，因被兼併的文本不存已無從窺見，當下僅見《山左金石志》中許多器物署「藏之黃小松司馬家」以及部分「朱朗齋訪碑」的記錄，這應是經過朱氏統稿、趙魏覆校之後留存的些許線索。朱氏曾在《益都金石記序》中言及「余書體例正與是編同也」，指《濟寧金石錄》與段松苓《益都金石記》體例相同。《益都金石記》共四卷，按周、漢、北魏、東魏、北齊、隋、唐、後唐、後晉、後周、宋、金、元等時代排列金石百餘則，敘錄點明器物出處、形制，有文字者錄其文，再附案語考證。因朱書不存，《山左金石志》吸收採納《益都金石記》的方式則具有借鑑意義。《山左金石志》先按「金、刀布、鏡、印、石」等器物進行分類，再依時間進行排列，故推測應是先將《濟寧金石志》、《益都金石記》從結構上拆散，再按器物類型和時間重新排纂，打破了原書以時代為主的著錄順序。

就金石分類而言，有學者指出，「這種內容編排經歷了一個由『疏』到『密』的過程」，有按器物、時代、地域、人物等角度進行

分類的[53]。徐宗幹《濟寧州金石志》和楊鐸《濟寧金石志》都屬於按
地域分類的金石目錄，在內部對金石的畫分上，二者略有區別。楊鐸
《濟寧金石志》共四卷，卷一為鐘鼎等器物，卷二為古錢幣，卷三為
古鏡，卷四為古印。每一器物再分時代，如卷一分為商金、周金、漢
金、魏金、晉金、北魏金、北齊金、隋金、唐金、宋金、元金；卷二
為刀布，分齊刀十八品、莒刀十八品、齊布十八品；卷三之鏡銘分為
漢、晉、隋、唐、宋、金、元等時代；卷四為印，分為漢、蜀漢、
魏、晉、北魏、東魏、唐、宋、金等。這種處理方式和《山左金石
志》之分類有相通之處，顯得層次分明，秩序井然；而徐宗幹《濟寧
州金石志》將「商周彝器以及泉刀鏡印之屬」統為一卷，籠統地按時
代排列，各時代雖有類聚之意，但未採用細目畫分。全書結構如下表
所示。

表一　《濟寧州金石志》內容結構簡表[54]

卷名	內容	時間段	頁數
卷一	《歷代金》附《吉金總論並詩》	商至明	134
卷二	《濟寧石一》	漢至隋	77
卷三	《濟寧石二》	唐至元	73
卷四	《濟寧石三》	明	78
卷五	《濟寧石四》	清	82
卷六	《金鄉石》	漢至清	55

---

53 王記錄：《中國史學思想通論‧歷史文獻學思想卷》（福州：福建人民出版社，2011
　年），頁278-279。

54 此表為筆者據《濟寧州金石志》統計而成，各卷頁數據版心頁碼。（清）徐宗幹輯：
　《濟寧州金石志》，《石刻史料新編》，第2輯第13冊，頁9393-9742。

卷名	內容	時間段	頁數
卷七	《嘉祥石》	漢至清	91
卷八	《魚臺石》附《碑刻總論並詩》	漢至清	92

　　這種區別可能是馮雲鵷在將志書薈萃成篇時參考了《濟南金石志》之體例而造成的。《濟南金石志》為馮雲鵷所纂，共四卷，卷一為《歷代金》，卷二至卷四為各地的石刻，與《濟寧州金石志》體例類似。《濟寧州金石志》卷一未根據器物類型和時代畫分細類，一定程度上適應了歷代金器僅有一卷的情況，但也抹去了稿本《濟寧金石志》在分類體例上的創意。

　　分類之外，敘錄和案語更能直接展現金石志編制者的考據成果。在統稿過程中，僅最精審且緊密相關的考證才容易被保留。如「唐蒲臺尉過訥墓誌銘」，《益都金石記》在過錄墓誌文之後有一長段考證，徵引《文獻通考》、韓愈贈序等文本[55]，《山左金石志》刪去大半引文，僅保留了與墓主人過訥密切相關的考訂結果。此外，因作者不同，敘述的角度也會有相應調整，《山左金石志》就從阮元的角度展開敘述，《濟寧金石志》中的「鐸案」、「鐸見於」則被改為「商城楊石卿云」。又如段松苓《益都金石記》記「北齊宋買銅印」云：「乾隆乙巳冬買之於舊貨攤，曲阜桂未谷戊申冬來青，見而愛之，把玩不忍釋手，即贈之。未谷定為六朝物，且云古人印子，子往往中穿一孔。壬子春，得交偃師武小石，讀其《金石記》，內有北齊天統年間人宋買造像記，內稱大都邑主宋買，又稱邑中正宋買，小石謂此人必鄉曲之豪，而後知未谷之言不誣也，故志之。」[56]而《山左金石志》記其事

55　（清）段松苓輯：《益都金石記》，《石刻史料新編》，第1輯第20冊，頁14836。

56　（清）段松苓輯：《益都金石記》，《石刻史料新編》，第1輯第20冊，頁14818。

曰：「益都段松苓所藏，後贈於曲阜桂未谷。按武進士億《偃師金石記》有《北齊天統年間人宋買造像記》，內稱大都邑主宋買，又稱邑中正宋買，或此人未可知也。」[57]在轉換敘述角度的同時，原作者的部分信息實際上被過濾、稀釋掉了。可見小型金石志在被大型金石志兼併時，編修過程中的刪改影響了底稿作者原文原意的呈現。在《山左金石志》和《濟寧州金石志》各自的編纂過程中，一方面，朱文藻和馮雲鵷作為統稿人，刪汰了段松苓、楊鐸等人的底稿，對段、楊學術成果的呈現造成了影響；另一方面，他們同阮元和徐宗幹相比，也僅僅是項目的參纂者，如何在集體項目中不被遮蔽，也需要一番設計。

（三）參纂人滲透個人成果留下考索痕跡

因編修工作的需要，刪改底稿文字自然是典籍編纂流程中的必要和正常舉措；在此之外，參纂學者也在行文中穿插個人見解和表述，利用機會展現自己的學術觀點，在集體成果和大型項目中留下個人考索的痕跡。

馮雲鵷在《濟州金石志後序》中說：「書成輒以副本自隨，尚望宗工哲匠、碩學鴻才憫其識見之拘，過示以裁成之矩範，但小言瑣語或廁大雅之林，則生平之厚幸莫加於此矣。」[58]儼然以作者自居。將稿本《濟寧金石志》同刻本《濟寧州金石志》相比對，可以發現馮雲鵷在文本內增加了不少個人表達。前文曾述及，馮氏與其兄著有《金石索》，在刻本《濟寧州金石志》中，馮氏便大量引用《金石索》。如「漢宜官鏡」，楊鐸稿本《濟寧金石志》記「馮晏海舍人雲鵬得於濟寧，據《金石索》編入」[59]，僅以一語帶過，但《濟寧州金石志》不

57　（清）畢沅、阮元撰：《山左金石志》，《續修四庫全書》，史部，第909冊，頁451。

58　（清）徐宗幹輯：《濟寧州金石志》，《石刻史料新編》，第2輯第13冊，頁9740。

59　（清）楊鐸：《濟寧金石志》（稿本）。

僅據《金石索》編入器物之名，還成段引用《金石索》內容，記為
「《金石索》云，此鏡內銘四字，作懸針書，與莽布相似，疑西漢時
造，制亦古質，銀體金星，朱翠綠三色瑩明，洵可玩也。予得之濟
寧」[60]。再如「元大德簠」，稿本《濟寧金石志》僅記「據馮氏《金石
索》編入」[61]；而刻本《濟寧州金石志》稱：「《金石索》云，此簠於
濟寧市上見之，高漢尺三寸八分，口徑長八寸九分，廣七寸六分，銘
共二十七字，建德路在唐為睦州，宋為建德軍，元至元十四年改建德
路，其領縣則建德、淳安、遂安、桐廬、分水、壽昌也，末有三字，
蓋記所造器之數，簠盛黍稷，緣邊以蟬為飾，取其居高而飲清也。」[62]
這樣的例子極多，這種將《金石索》文本寄生於《濟寧州金石志》的
處理方式，一方面出於更全面地介紹器物、考證制度的需要；另一方
面也使馮氏《金石索》的論述在《濟寧州金石志》中的比重大大提
升，客觀上促進了《金石索》的流通，為擴大其影響提供了另一種途
徑。此外，經過對比，偶爾可見馮氏在統稿時刊落楊鐸痕跡之處，如
稿本《濟寧金石志》載「盍氏仙人鏡，鐸得於濟寧」，《濟寧州金石
志》僅云「漢盍氏仙人鏡……按此鏡亦載《濟南金石志》中，今見之
任城，略同」[63]，只提及馮氏自撰的《濟南金石志》而未言及鏡藏於
楊鐸之事。

參纂人在參與編修的典籍中積極呈現個人名號，以一種相對隱秘
的方式來留下個人考索的蹤跡，避免被他人光環所掩蓋，這體現出中
下層學者對抗學術生態的掙扎。這一點在朱文藻的學術活動中也有體
現。朱文藻參纂阮元主持的大型志書，勢必不能以作者留名，他在統

60　（清）徐宗幹輯：《濟寧州金石志》，《石刻史料新編》，第2輯第13冊，頁9424。

61　（清）楊鐸：《濟寧金石志》（稿本）。

62　（清）徐宗幹輯：《濟寧州金石志》，《石刻史料新編》，第2輯第13冊，頁9455。

63　（清）徐宗幹輯：《濟寧州金石志》，《石刻史料新編》，第2輯第13冊，頁9424。

稿時，也儘量留下個人的學術主張和考據線索。[64]《山左金石志》中
「朱朗齋云」、「朱朗齋借錄」、「朱文藻訪得」的記載極多，遠超其他
參纂者，這是朱文藻精心設計的結果。另外，比對《山左金石志》和
《益都金石記》的文本，可以發現朱文藻增添個人信息的痕跡，如
「唐張珂尊勝經石幢」、「唐趙琮墓誌銘」、「宋雲門山富鄭公等題名」
等項目，已見於段松苓《益都金石記》[65]，考證較詳密，可以直接謄
入《山左金石志》，而今定本《山左金石志》在提煉《益都金石記》
考證文字的基礎上，增添了「朱朗齋從他處借錄」、「朱朗齋自友人處
借錄」等文字[66]，這可能是朱文藻統稿時刻意為之。又如《平昌寺造
像記》，《益都金石記》點評其書法云「書法瘦勁，酷肖歐陽率更，益
都造像記頗多，然書法無出其右者，洵足珍也」[67]；《山左金石志》中
並未引述段松苓之語，而是稱：「朱朗齋云此刻書法端勁，酷類景龍
觀鐘銘，唐人造像中以此為最。」[68]朱文藻此舉和馮雲鵷在《濟寧州
金石志》中大量轉引《金石索》文本的做法具有相通之處，一定程度
上是基於留下個人意見和考證痕跡的需要；從另一個角度考慮，可見

---

64 在由朱文藻統稿的《兩浙輶軒錄》中，也可以看到類似的做法。阮元《兩浙輶軒
　　錄》中引用朱文藻《碧溪詩話》處及徵引「朱文藻曰」之處極多，遠遠超出其他各
　　家參編者，此舉當是朱文藻精心設計。因此，今人可從《兩浙輶軒錄》中輯出佚失
　　的《碧溪詩話》。詳見王霄蛟：〈《兩浙輶軒錄》中的《碧溪詩話》（上）〉，趙敏俐主
　　編：《中國詩歌研究（第11輯）》（北京：社會科學文獻出版社，2015年）；王霄蛟：
　　〈《兩浙輶軒錄》中的《碧溪詩話》（下）〉，趙敏俐主編：《中國詩歌研究（第12
　　輯）》（北京：社會科學文獻出版社，2016年）。
65 （清）段松苓輯：《益都金石記》，《石刻史料新編》，第1輯第20冊，頁14836-
　　14838、14849-14850。
66 以上見（清）畢沅、阮元撰：《山左金石志》，《續修四庫全書》，史部，第909冊，
　　頁589-599、656。
67 （清）段松苓輯：《益都金石記》，《石刻史料新編》，第1輯第20冊，頁14829。
68 （清）畢沅、阮元撰：《山左金石志》，《續修四庫全書》，史部，第909冊，頁554。

集體項目也為部分參纂者提供了展現學術成果的平臺，這反映出清代學術生態中相互兼併又相互依存的現象。

五　餘論

清代中期，詩人厲鶚曾在《趙谷林愛日堂詩集序》中感慨古詩之傳與不傳的社會因素，他說：「自漢、魏迄今，詩歌之傳於代者，往往有名位人為多，而憔悴偃蹇之士，十不得二三焉。其故何也？有名位人勢力既盛，門生故吏不憚謄寫模印，四方希風望景之徒，又多流布述誦，雖無良友朋、佳子孫，而其傳也恆易。若士之憔悴偃蹇者則異是，苟非若沈子明之於李長吉，歐陽永叔之於蘇子美，為之表章於身後，則唯有望於後之人，以大慰其幽夐冥漠之魂耳。」[69]厲鶚所論詩歌之傳與典籍傳存有共通之處，「憔悴偃蹇」的中下層學者不僅無力刊布自身著述，其在學人幕府中的功績也常常被遮蔽，其在集體項目中撰述的底稿也面臨著被刪改的可能，這是導致其在後世聲名不顯的重要原因。中下層學者利用其在典籍編纂中的機會，也試圖在集體項目中穿插個人表述，留下個人的研究成果和參與線索。學術生態強調學者與政治、社會、文化之間的彼此聯繫和制約，它通過多種方式對典籍傳存和作者聲名產生多方位的影響；隨後，學術生態影響下的文本又成為進一步鞏固學術生態，發揮學術生態持久影響力的文獻基石，從而形成了客觀循環，影響著我們對清代學術的認識。

研究被「吞噬」和「淘汰」的文本並非僅出於其在文獻上的校勘價值，將其置於學術生態的視野下進行考察，這類文本便獲得了了解某個歷史時段和局部學術生態的史料價值。經過對比部分文本，典籍

69　（清）厲鶚撰，羅仲鼎、俞浣萍點校：《厲鶚集》（杭州：浙江古籍出版社，2016年），頁525。

編纂和學術創作中的某些非學術的細節得以呈現，也可為學術史研究
之一助。

———原刊於《史學理論與史學史學刊》二○二一年第一期

南京圖書館藏抄本《校訂存疑》的歷史考證價值

　　朱文藻（1735-1806）是清代乾嘉時期杭州知名的文獻學家，字映漘，號朗齋、碧溪居士，《清史列傳》有傳。朱氏早年在杭郡汪氏振綺堂作館師，整理校訂振綺堂藏書，後應王杰之招赴京師，助校《四庫全書》，並兼修《續三通》；也曾在黃易、阮元、王昶等人幕下，參與編纂了許多大部頭著作，如《兩浙輶軒錄》、《山左金石志》、《金石萃編》等。[1]周郁濱《珠里小志》稱其「凝靜敦樸，好學不倦，少從吳穎芳遊。及壯，漁獵百家，取材宏富。通史學，凡紀傳、編年、紀事、《通典》諸書，輒能考其舛誤、審其是非」[2]。自乾隆四十三年至乾隆五十八年，朱文藻分別為三通館校訂《續通典》、《續通志》，為欣托山房汪氏校訂《隸釋》、《隸續》、《韻補》，為壽松堂孫氏校訂《資治通鑑》，又校訂新校刻的《復古編》和《新加九經字樣》。朱氏校勘考證諸書的成果彙集形成了《校訂存疑》。

　　朱氏因家世不顯，科舉不利，平生多為他人編纂校訂典籍。他的個人著述雖有幾十種之多，但多以稿抄本流傳。他過世之後門庭冷落，收藏其著述的清吟閣又毀於庚辛之亂，加劇了其作品的散失。陳鴻森先生近年所撰〈朱文藻年譜〉[3]、〈被遮蔽的學者——朱文藻其人

1　（清）梁同書：〈文學朗齋朱君傳〉，朱文藻：《朗齋先生遺集》（清道光二十五年崇雅堂刻本），卷首。

2　（清）周郁濱：《珠里小志》（上海：上海古籍出版社，2000年），卷13，頁204。

3　陳鴻森：〈朱文藻年譜〉，《古典文獻研究》2016年第2期，頁157-244。

其學述要〉[4]和〈朱文藻碧溪草堂遺文輯存〉[5]等一系列文章終於揭開了這位長期「被遮蔽」的乾嘉學人的真面目。《校訂存疑》原未散亡，然卻長期深藏書庫，不為人利用，至今也無專門之研究。故筆者不揣譾陋，撰成此文，探討其歷史考證價值，以求教於方家。

一　《校訂存疑》的內容

今所見《校訂存疑》為一抄本，藏於南京圖書館，鈐有丁丙八千卷樓和江南圖書館藏書印。該書共四冊，館內著錄為十八卷，分別為朱文藻校勘考訂《資治通鑑》、《續通典》、《續通志》、《韻補》、《復古編》、《新加九經字樣》、《隸釋》、《隸續》等書的校記。

其中，第一、二冊為校《資治通鑑》的校記。第一冊為校《資治通鑑（上）》，該冊單頁共一百八十頁，前後封皮、封底各占兩頁。第二冊為校《資治通鑑（下）》，單頁共一百七十六頁，前封面四頁，後封底二頁。為便於省覽，現將《校訂存疑》前兩冊校《資治通鑑》的卷數及校記的分布情況列表如下：

4　陳鴻森：〈被遮蔽的學者——朱文藻其人其學述要〉，上海社會科學院《傳統中國研究集刊》編輯委員會編：《傳統中國研究集刊》（上海：上海社會科學院出版社，2017），第16輯，頁1-31。

5　陳鴻森：〈朱文藻碧溪草堂遺文輯存〉，程水金主編：《正學》（南昌：江西人民出版社，2016年），第4輯，頁357-400。

表一 《校訂存疑》校訂《資治通鑑》各卷及校記分布情況

冊數	卷名	所校內容	校記條數	頁碼合計（AB面）
第一冊	《校訂存疑》卷一	《資治通鑑》卷1至70	共183則	31頁
	《校訂存疑》卷二	《資治通鑑》卷71至109	共176則	27頁
	《校訂存疑》卷三	《資治通鑑》卷110至卷160	共207則	30頁
第二冊	《校訂存疑》卷四	《資治通鑑》卷162至卷210	共221則	30頁
	《校訂存疑》卷五	《資治通鑑》卷211至260	共219則	32頁
	《校訂存疑》卷六	《資治通鑑》卷261至294	共165則	23頁

　　《資治通鑑》一書共二百九十四卷，各卷在《校訂存疑》中的校記數量分布不均，多者達十幾則，少者一則或零則。其中，《資治通鑑》第三卷、第十卷、第十三卷、第十九卷、第二十九卷、第四十七卷、第五十四卷、第五十七卷、第八十二卷、第八十七卷、第八十九卷、第九十一卷、第一一一卷、第一三八卷、第一六一卷、第二三三卷、第二三九卷、第二四八卷，在《校訂存疑》中無相應校記。據前後順序和校記內容，該抄本《校訂存疑》所校《資治通鑑》第七十八卷[6]和第八十六卷[7]分別訛寫為第七十六卷和第八十八卷。因此，朱文藻校勘《資治通鑑》後，列出校記的卷數約為二百七十六卷。

6　（清）朱文藻：《校訂存疑》（南京圖書館藏清抄本），卷2，頁4a。

7　（清）朱文藻：《校訂存疑》（南京圖書館藏清抄本），卷2，頁9b。

第三冊共二百一十四頁，前後封面封底各兩頁，校《續通典》、
《續通志》，封面題「《校訂存疑》、《續通典》、《續通志》，闕《續通
考》」。與前二冊校《通鑑》不同，第三冊並未在每卷卷端題明卷數。
各卷之間以空頁、空行隔開，且標有獨立頁碼。現將《校訂存疑》第
三冊各卷所校內容及分布情況列表如下：

表二　《校訂存疑》校訂《續通典》《續通志》情況

《校訂存疑》卷數	所校內容	頁碼合計（AB面）
卷七	《續通典》〈嘉禮・鹵簿〉 《續通典》〈吉禮〉	共19頁
卷八	《續通典》〈吉禮〉、〈凶禮〉、〈禮略〉	共8頁
卷九	《續通典》〈州郡〉、〈都邑略〉	共17頁
卷十	《續通典》〈州郡〉	共7頁
卷十一	《續通志》〈宋后妃傳〉〈宋宗室傳〉〈宋公主傳〉〈宋列傳〉	共23頁
卷十二	《續通志》〈刑法略〉	共3頁
卷十三	《續通志》〈昆蟲草木略〉	共28頁

如表中所見，《校訂存疑》第三冊的編排略為錯雜，所校《續通
典》〈吉禮〉分列於卷七和卷八；所校《續通典》〈州郡〉分布在卷
九、卷十，中間插入了僅有兩頁的《續通志》〈都邑略〉校記。《續通
典》、《續通志》內容浩繁，朱文藻並未參與全部內容的纂修校訂，當
時應當與他人有所分工。上表所列內容則為纂修、校訂《續通典》、
《續通志》工作中朱文藻所參與的部分。

《校訂存疑》第四冊共一百五十二單頁，前後封面封底等各占兩
頁，亦不標明卷數，以空頁、空行隔開。各卷單獨編頁，每校一書成

為一卷，各卷分別為校《韻補》、《復古編》、《新加九經字樣》、《隸釋》、《隸續》之校記。其中，校《韻補》各卷條數分別為：卷一有十五則，卷二有二十七則，卷三有十七則，卷四有三十二則，卷五有十七則，共計一百零八則。校《復古編》上平聲字九個、下平聲字三個、上聲字四個、去聲字七個、入聲字九個，連綿字五組、形聲相類字十六組、聲相類字八組、上下相訛二組，校後序一則、校正二則，附錄四則，共約七十則校記。校《新加九經字樣》第三頁至第二十一頁，校記共三十一則。校《隸釋》目錄、卷一至二十七、總論，共有校記約一百八十八則。校《隸續》卷一至卷二十，共有校記五十一則。《校訂存疑》所校各書的分布情況和校記條數可參見下表：

表三　《校訂存疑》第四冊內容分布

《校訂存疑》卷數	所校之書	校記條數	頁數合計（AB面）
卷十四	《韻補》	108則	11頁
卷十五	《復古編》	70則	7頁
卷十六	《新加九經字樣》	31則	7頁
卷十七	《隸釋》	188則	36頁
卷十八	《隸續》	51則	13頁

　　合以上四冊，第一、二冊各三卷，第三冊七卷，第四冊五卷，共計十八卷。南京圖書館著錄《校訂存疑》為四冊十八卷，而《八千卷樓書目》[8]、《清續文獻通考》[9]、《清史稿》[10]均著錄為「朱文藻撰，

8　（清）丁立中：《八千卷樓書目》，《續修四庫全書》（上海：上海古籍出版社，1999年），史部，第921冊，卷9，頁191。

9　（清）劉錦藻：《清朝續文獻通考》（杭州：浙江古籍出版社，1988年），卷268，頁10121。

10　趙爾巽等：《清史稿》（北京：中華書局，1976年），卷146，頁4314。

十七卷」。《校訂存疑》的實際卷數與南京圖書館館內著錄的「四冊十
八卷」相符，與《八千卷樓書目》、《清史稿》等典籍的記載略有出
入。《校訂存疑》卷十二校《續通志》〈刑法略〉，單頁僅五頁，但也
立為一卷，在統計中極易遺漏，或為《八千卷樓書目》等記載與《校
訂存疑》實際卷數不一致之緣由。

二 歷史考證的學術價值

《校訂存疑》一書以校勘為基礎，綜合考證糾謬補缺，考訂八種
典籍，或訂正其記載之訛誤，或補充其脫文，增補史實、名物解釋，
又列明史料記載之異，兼指明出處，均有功於原書。該書的歷史考證
價值集中體現在對典籍中涉及時間、地理、數量、人物、名物、金石
等方面的校訂。

（一）考訂時間

在對《資治通鑑》的校訂中，朱文藻考訂時間之處尤多，僅在
《校訂存疑》卷一中，校訂時間就有三十餘處。他對時間記載尤為關
注，並且常使用曆日推算法、正逆推算法等方法來考訂時間。如在校
訂《資治通鑑》卷二百四十時，他說：「今日往亡。胡氏注曰：『陰陽
家之說，九月以寒露後第二十七日為往亡。』據李愬以九月甲寅攻吳
房，是年二月辛卯朔，五月置閏，推至九月，當是戊子朔，下文注云
『十月戊午朔』可證也。則甲寅當在二十七日。寒露後第二十七日，
即立冬前三日。是年閏五月，則立冬當在九月中下旬之交，斷無至十
月初始立冬之理，則甲寅日為往亡，與胡注引陰陽家之說不合，識以
俟考。」[11]「往亡」為陰陽家語，是日諸多禁忌。唐憲宗時，李愬將

---

11 （清）朱文藻：《校訂存疑》（南京圖書館藏清抄本），卷5，頁16a。

攻吳房，諸將以「今日往亡」指出不利出軍。胡三省《資治通鑑注》認為，陰陽家「九月以寒露後第二十七日為往亡」。朱文藻從後往前推，寒露後第二十七日即立冬前三日，推算得出該年立冬將係於十月初，與多處記載推算不合，從而提出疑問。

又如《資治通鑑》卷二百零五載：「丙戌，敕以齒落更生。」朱氏按：「此上似脫『閏八月』三字。按，自永昌元年九月置閏，至此年八月已三十五月，固應置閏。又以本年正月戊辰朔推至八月，應癸巳、甲午等朔，月中不應有丙戌也。又上條有戊寅、辛巳等日，乃七月事，而下文直接九月庚子，敘事似覺隔遠。若八月不置閏，則來年正月又不應是壬辰朔，以此前後合推之，信是八月置閏。《通鑑》不書八月事，而『丙戌』上失書『閏八月』，其誤顯然，識以俟考。」[12]所考為武則天「齒落更生」、「改元長壽」之事，朱文藻從上次置閏的時間考起，再以本年正月和來年正月前後合推，並以敘事隔遠作為旁證，前後共舉出四條證據，推算得出《通鑑》此事所記當在「閏八月」的結論。

時間是史事記載的重要維度，故朱氏考訂時間格外嚴謹，絕不苟且。如《通鑑》卷二百九十後周太祖廣順元年條載：「馬氏聚族相泣，欲重賂鎬，奏乞留居長沙，鎬微哂曰：『國家與公家世為仇敵，殆六十年。』」胡氏注：「唐昭宗光啟三年，馬殷從孫儒攻楊行密，乾寧三年得湖南，自此與江淮為敵國。自光啟三年至是年，適六十年。」[13]朱氏推算，自光啟三年（887）至廣順元年（951）乃六十五年，而非六十年，《通鑑》原文乃舉成數而言，但胡注既已給出確切起始年月，則不可言「適」六十年。其校記云：「適六十年。按，自光啟三年至是廣順元年乃六十五年，不止六十年。《通鑑》云『殆六

---

12 （清）朱文藻：《校訂存疑》（南京圖書館藏清抄本），卷4，頁26b-27a。

13 （宋）司馬光：《資治通鑑》（北京：中華書局，1956年），卷290，頁9467。

十年』者，舉成數也。今注文既有起止年數，不可『適六十年』
矣。」[14]

在校勘、編纂《續通志》等書時，朱文藻也通過翻檢史料，增補
脫文、糾正訛謬，來確定史事、制度的時間。如校勘《續通志》〈刑
法略〉時，校語說：「每歲立春立秋。按《新唐書》作立春至秋，考
《宋史》〈刑志〉有云唐自立春至秋分不決死刑，然則《唐書》所謂
立春至秋者，乃是脫去分字耳。」「三通館」刊出《續通志》時，有
時僅利用朱氏的校訂成果逕改，而不出案語。重核此處，刊出的正文
即改為「每歲立春至秋分……皆停死刑」[15]。經過這樣的補充、糾
謬，不僅使文字順通，句義詳明，且使得相關制度的記載變得清晰。

（二）考訂地理

《校訂存疑》第三冊的《續三通》「州郡」、「都邑」兩部分，集
中考訂地理沿革，如：「吉州永新縣，注中析吉水縣地置。按《方輿
紀要》云：『永新縣本漢廬陵縣地，三國吳寶鼎三年，析置永新縣，
屬安城郡。隋廢郡，省入太和縣。唐武德五年，復置縣，屬南平州。
八年，州廢縣復，併入太和。顯慶三年，復分置縣，屬吉州。』考之
《唐志》，語與此合。據此則應云析太和縣地，而非吉水也，史文有
訛。又云永豐縣，宋至和元年割吉水之報恩鎮置，於史未備。」[16]以
《方輿紀要》和《唐志》的記載訂正注文中有關「永新縣」沿革的訛
誤，指出永新縣乃析太和縣地而置，並非吉水縣。再如校《續通典》
〈州郡〉「岳州」條，朱文藻說：「按《方輿勝覽》云，英宗潛邸，領

14　（清）朱文藻：《校訂存疑》（南京圖書館藏清抄本），卷6，頁20b。

15　（清）嵇璜：《續通志》（杭州：浙江古籍出版社，1988年），卷144，〈刑法略〉，頁
　　4121。

16　（清）朱文藻：《校訂存疑》（南京圖書館藏清抄本），卷9，頁10b。

岳州團練使，升岳陽軍節度使。又《方輿紀要》云，秦檜以州名與岳
飛姓同，改純州軍曰華容，俱《宋史》所未備。」[17]《續通典》定本
採用他的意見，案語曰：「按《方輿勝覽》云，英宗潛邸，領岳州團
練使，升岳陽軍節度。又《方輿紀要》云，秦檜以州名與岳飛姓同，
改純州軍曰華容。《宋史》未詳，謹附識。」[18]

又考《高錫傳》記：「會使清州，私受節帥郭崇賂遺。按《宋史》
〈地理志〉，清州本乾寧軍幽州盧臺軍之地，太平興國七年置軍，大
觀二年升為州，則是太祖時未嘗有清州之名也。又考《宋史》〈郭崇
傳〉，李重進為平盧軍節度，崇進叛，改命崇為節制。平盧為青州之
軍名，至淳化五年改名鎮海。郭崇之鎮平盧，正當太祖乾德之初，然
則此處所謂清州，或是青州之訛。」[19]朱文藻所見《宋史》〈高錫傳〉
作「清州」，經考訂，他認為宋太祖時尚未有「清州」之建制，乃是
「青州」之訛。

朱文藻熟稔地理沿革，在校《續通志》〈宋列傳・高懷德傳〉
時，朱文藻說：「按五代時疆宇瓜分，日循干戈，百司制度無暇更
置，大率多因唐時之舊。卷中諸傳所載節度使之名，往往有其官而實
未嘗轄其地。以此例推之，則江寧軍又無足異矣。考《唐書》〈地理
志〉，昇州江寧軍，乾元二年置。則是在唐時，本有江寧軍其地，在
五代久為楊吳、南唐所據，建都立國，故不復有江寧軍之稱。或者沿
襲舊名，以此為大鎮之美號，似未可知，姑附一說以質疑。」[20]朱文
藻以審慎的態度提出「江寧軍」可能為虛置，《續通志》定本吸收朱
文藻的意見，其案語作：「按《五代史》〈職方考〉及《會要》俱無江

---

17 （清）朱文藻：《校訂存疑》（南京圖書館藏清抄本），卷9，頁12b。

18 （清）嵇璜：《續通典》，卷127，〈州郡〉，頁1903。

19 （清）朱文藻：《校訂存疑》（南京圖書館藏清抄本），卷11，頁20b-21a。

20 （清）朱文藻：《校訂存疑》（南京圖書館藏清抄本），卷11，頁4a。

寧軍,而韓重贇、劉廷讓等傳亦作領江寧軍節度,與此並同。考《唐書》〈地理志〉,昇州江寧郡,乾元二年置江寧軍。據此則唐時本有是名,其地至五代久為吳、南唐所據。此係殿前管軍領職,實未嘗出鎮其地。或當時沿襲舊名,以此為大鎮之美號,諸傳類此者甚多,今並仍原文,附識於此。」[21]

校《資治通鑑》時,也關注地理沿革,如:「按仁和縣本錢塘縣,宋朝太平興國初改錢塘縣曰仁和。按錢塘皆當作錢江,今《杭州府志》因《元豐九域志》云,太平興國三年改錢江縣為仁和是也。考《咸淳臨安志》稱,仁和永和鄉有義和里,唐末嘗設鎮,乾符間吳公約授義和鎮遏使。又考《乾道臨安志》,湯村鎮本仁和鎮,端拱元年改,然則義和鎮改仁和鎮即湯村鎮也。」[22]以多種方志考證仁和名稱之沿革。

(三)考訂數量

朱文藻常使用復核數字法考證數量,如人數、字數、州縣數等。他在校書時,對涉及數字之處額外關注,核對數字名實,因此能夠發現許多問題。

考訂史料記載的州縣數量,如校《續通典》〈州郡〉「河東路縣八十一」句時,他說:「按太原府縣十、隆德八、平陽十、絳州六、代州四、忻州二、汾州五、遼州四、憲州一、嵐州三、石州三、隰州六、慈州一、麟州一、府州一、威勝軍四、平定軍二、岢嵐軍一、寧化軍晉寧軍二,其縣八十二,此作八十一,史文訛也。」[23]朱氏對河東路縣數量作進一步核實,發現其數當為八十二,而非八十一,其校

---

21 （清）嵇璜:《續通志》,卷297,〈列傳〉,頁4953。

22 （清）朱文藻:《校訂存疑》(南京圖書館藏清抄本),卷6,頁5b。

23 （清）朱文藻:《校訂存疑》(南京圖書館藏清抄本),卷9,頁2b-3a。

語詳實有據。因此《續通典》定本採納其意見，案語作：「按河東路府州軍共領縣八十二，史作八十一，誤。」[24]

考校卷數，如：「按《金史》〈章宗本紀〉，泰和元年十二月，司空襄等進《新定律令敕條格式》五十二卷。〈刑志〉云，〈律令〉二十卷，〈敕條〉三卷，〈六部格式〉三十卷，合為五十三卷，紀志互異。」[25]朱文藻指出，〈章宗本紀〉與〈刑志〉中關於《新定律令敕條格式》卷數的記載有歧異，〈章宗本紀〉作五十二卷，而〈刑志〉作五十三卷。《續通志》定本中，案語作：「按〈章宗本紀〉，泰和元年十二月，司空襄等進《新定律令敕條格式》五十二卷。〈刑志〉云，〈律令〉二十卷、〈敕條〉三卷、〈六部格式〉三十卷，合為五十三卷。紀志互異，未詳孰是。」[26]其內容與朱文藻的校語大致相同。

又考校人數，如校《續通典》〈嘉禮・鹵簿〉時說：「凡十人，此語疑史有訛。按：雲和署丞二人，係領部官，不在數內。此下戲竹二、排簫二、簫管二、歌工二，類之僅八人，非十人也。前有雲和樂雲和署令二人，下云凡十六人，戲竹二、排簫四、簫管二、龍笛二、板二、歌工四，數之恰合十六人，而署令二人不預焉，可知此處十人不當連署丞二人在內。以前段證之，或此處排簫訛四為二，或歌工訛四為二，又或訛八人為十人，皆不可知。」[27]《續通典》定本採納此說，案語與此略同。[28]

---

24 （清）嵇璜：《續通典》，卷126，〈州郡〉，頁1893。

25 （清）朱文藻：《校訂存疑》（南京圖書館藏清抄本），卷12，頁3b。

26 （清）嵇璜：《續通志》（杭州：浙江古籍出版社，1988年），卷146，〈刑法略〉，頁4135。

27 （清）朱文藻：《校訂存疑》（南京圖書館藏清抄本），卷7，頁2a。

28 （清）嵇璜：《續通典》，卷66，〈禮〉，第1527頁。

（四）考訂人物

　　朱文藻在校訂《續通志》的〈宋后妃傳〉、〈宋宗室傳〉、〈宋公主傳〉、〈宋列傳〉等部分集中考訂人物。在考訂人物時，朱氏注重對所任官職和為官時間的校訂，常以紀、傳、表前後相校，發現抵牾。其例如：「〈宋綬傳〉，始置端明殿學士，此語史文有誤，據〈職官志〉云，端明殿學士後唐天成元年置，後遂為故事。宋太宗改為文明殿學士，慶曆中改為觀文明道，二年復置端明殿學士，以翰林侍讀學士宋綬為之。據此，則端明殿在此時係復置而非始置也……又按：范鎮撰〈宋敏求墓誌銘〉，父綬贈太師中書令、尚書令、燕國公，本傳不載。」[29]端明殿學士為後唐明宗天成元年時，因有閱讀四方書奏的需要故因唐時侍讀之號所創，以馮道、趙鳳等人初為之。[30]宋綬曾為端明殿學士，傳記中記「始置」此官，朱文藻以〈職官志〉所載，指出〈宋綬傳〉中「始置」語之誤，並據〈宋敏求墓誌銘〉增補本傳記載。

　　又校訂文獻中有關人物記載的錯訛。如：

　　　　又時議者以懿祖賜姓於懿宗。此語本之《五代會要》，所載與《五代史》異。按：《五代史》〈唐莊宗本紀〉，莊宗之先，本號朱邪，其後別自號曰沙陀，而以朱邪為姓。唐德宗時有朱邪盡忠者，居北庭之金滿洲。貞元中，吐蕃贊普攻陷北庭，徙盡忠於甘州。其後贊普敗，盡忠與其子執宜東走。盡忠死，執宜歸唐；執宜死，其子曰赤心。懿宗咸通十年，神策大將軍康承訓統十八將討龐勳於徐州，以朱邪赤心為太原行營招討、沙陀

29　（清）朱文藻：《校訂存疑》（南京圖書館藏清抄本），卷11，頁19b-20a。

30　（宋）薛居正：《舊五代史》（北京：中華書局，2015年），卷36，頁570。

三部落軍使。以從破勳功，拜單于大都護、振武軍節度使，賜
姓名李國昌。據此則賜姓於懿宗者乃獻祖，而非懿祖也。懿祖
諱執宜，為國昌之父，在懿祖不過肇始歸唐，而功高受氏，顯
仕於懿宗之朝，開後唐之初基者，實獻祖而非懿祖也。則三廟
之訛，定是謬議。[31]

「時議者以懿祖賜姓於懿宗」[32]，此語出自《五代會要》卷二
〈廟儀〉，朱文藻校訂時，據《新五代史》〈唐莊宗本紀〉的記載，認
為賜姓於懿宗的乃是獻祖李國昌，而非李國昌之父。今核之《舊五代
史》〈武皇紀上〉[33]、《新五代史》〈唐本紀四〉[34]，賜姓於懿宗的乃獻
祖李國昌無誤。《續通典》定本吸收朱文藻的意見，其案語作：「而議
諡者忘咸通之懿宗又稱懿祖，父子俱懿，於理可乎？將朱邪三世與唐
室四廟連敘昭穆，非禮也。議祧者不知懿祖受氏於唐而祧之，今又及
獻祖以禮論之，始祧昭宗，次祧懿宗可也。而懿祖如唐景皇帝，豈可
祧乎？按：《五代史》〈莊宗本紀〉，咸通間，朱邪赤心以從討龐勳
功，賜姓名曰李國昌，是受氏於懿宗者係獻祖而非懿祖，今據《通
考》及《五代會要》輯。」[35]

（五）考訂名物

《校訂存疑》第三冊校《續通志》〈昆蟲草木略〉的部分，集中
考校名物，朱氏所校有「草類」、「蔬類」、「稻粱類」、「蟲類」、「魚

---

31 （清）朱文藻：《校訂存疑》（南京圖書館藏清抄本），卷7，頁8a。

32 （宋）王溥：《五代會要》（上海：上海古籍出版社，1978年），頁30。

33 （宋）薛居正：《舊五代史》，卷25，頁382。

34 （宋）歐陽修：《新五代史》（北京：中華書局，2015年），卷4，頁35。

35 （清）嵇璜：《續通典》，卷51，〈禮〉，頁1433。

類」、「木類」等六類。如對石花菜的考證：「石花菜。按郭璞《江賦》石華與玉珧、海月、土肉並列，則非石花菜之可入蔬類者矣。注云『石華附石生，肉中啖』，顯然與石華菜異類。又按《通志》有垣衣、海藻二條。垣衣云生海中者，可食；又有生於石上連緣作暈者，謂之石花。石花生於海中石上，謂之紫葜，即紫菜也；海藻云類紫葜而粗惡。《爾雅》云：『綸似綸，組似組，東海有之，綸即鹿角菜，組即海中苔。』據此則是紫菜也、紫葜也、海苔也、海藻也、石花也、鹿角菜也，並已見《通志》，特未詳言品類出產耳。此處分析補詳，似應加按聲明，方不嫌於重複。」[36] 據《通志》、《爾雅》等書所記，詳細地補充「石花菜」的名稱，並給出校訂意見。

校《續通志》〈昆蟲草木略〉時，補充對「柱夫」之解釋，校語為：「按陸游詩序曰：『小巢生稻畦中，所謂元修菜是也。』應增入。」[37]《續通志》定本即將朱文藻原話增入此條目之下。[38] 在校訂名物時，朱文藻認為無關本書宗旨的記載訛誤，無需辯駁，以避免重複。他在《續通志》〈昆蟲草木略〉校語中說：「芫花一條，《通志》已詳其誤，入木部，係仍本草之舊。皮可浸汁藏梅一語，亦仍《爾雅》郭《注》舊文，皆無足議。且此係纂《續通志》，非為辨《通志》及《爾雅》諸書之誤。凡無關補續者，不必摻入。」[39]

朱氏校《資治通鑑》時，也關注名物。《校訂存疑》中說：「菜油，東南之人多以照夜，未嘗薰眼失明。按：胡氏去今數百年，物理大略相同，今東南人所照夜之菜油乃芸薹菜子，非蕪菁菜子。又蕪菁、蔓菁本亦二種，即《詩》所謂『葑菲』也。蕪菁有紫花，有白花；

---

36 （清）朱文藻：《校訂存疑》（南京圖書館藏清抄本），卷13，頁13ab。

37 （清）朱文藻：《校訂存疑》（南京圖書館藏清抄本），卷13，頁11b。

38 （清）嵇璜：《續通志》，卷175，〈昆蟲草木略〉，頁4328。

39 （清）朱文藻：《校訂存疑》（南京圖書館藏清抄本），卷13，頁4a。

四月收子，七月種，十月收。《齊民要術》稱其子輸與壓油家。蔓菁
春食苗，夏食心，秋冬食根，可為軍糧，子可為油，塗頭能變蒜髮，
可夜讀書。是二種矣。《本草》謂蕪菁一名蔓菁，逐混並為一。」[40]指
出當時照夜所用菜油乃芸薹菜子，並梳理蕪菁、蔓菁之別。

（六）考訂金石

朱文藻長於金石之學，是《山左金石志》、《金石萃編》的重要編
纂成員，被張之洞列入金石學家之列。他在校訂典籍時，常使用金石
史料。《校訂存疑》第四冊校《隸釋》、《隸續》部分，專門校訂金
石。如考《繁陽令碑陰》，朱文藻說：「按洪氏嘗云『非民非吏，謂之
處士』，此碑稱處士功曹者不一而足，既為功曹，又稱處士，未詳其
制，記以俟考。又按此碑《集古錄》有之，而不能定其為繁陽之碑
陰，但云『後漢楊君碑陰題名』而已。其所謂有稱故吏者、故民者、
故處士者、故功曹者、故門下佐者，正與此碑合。惟題名一百三十一
人，此碑則有一百三十四人，稍有不符耳，然《集古錄》傳刻多訛，
恐有小誤。」[41]指出洪氏所云前後矛盾之處，並與《集古錄》所載相
參，將碑定作「繁陽之碑陰」。又如：「《蜀郡屬國辛通達李仲曾造橋
碑》。此碑目錄標題作『廣漢屬國』，此作蜀郡屬國，洪氏則先云蜀都
屬國，後云蜀郡屬國。一碑而數處異同如此。按：廣漢與蜀郡有別，
如《丁魴碑》云：『建跡蜀郡屬國，風流巴蜀，三載功成，遷廣
漢。』此即廣漢之不可為蜀郡也明矣。」[42]面對一碑題名數處皆異，
朱文藻引另一碑來證明「蜀郡」與「廣漢」不同。再如考《沛相楊統
碑》時說：「文云建寧元年三月癸丑，據《集古錄》三月作六月。今

---

40 （清）朱文藻：《校訂存疑》（南京圖書館藏清抄本），卷4，頁6b-7a。

41 （清）朱文藻：《校訂存疑》（南京圖書館藏清抄本），卷17，頁12a。

42 （清）朱文藻：《校訂存疑》（南京圖書館藏清抄本），卷17，頁16b。

以《竹邑侯相張壽碑》證之，是年五月有辛酉日。癸丑與辛酉相隔無多，三月與五月干支相同，作三月者是也。」[43]亦是引另一碑所載，來證《集古錄》所言有誤。

又考校金石文字，如考《司隸校尉楊孟文石門頌》說：「文云『山川股躬』，據《集古錄》作『川澤攸同』。又『道由子下』，《集古錄》作『道由子午』，以下為午，亦應增注。又『垓鬲尤艱』，尤，注云『尤字，據《集古錄》作允字』。又『末秋截霜』，玩下文稼苗夭殘，終年不登，則末秋當作未秋。未秋猶早秋也，截霜猶零霜也。早秋零霜，故稼苗夭殘；若末秋，正當霜降至時，雖遇稼穡不登，亦非夭殘矣。」[44]一則校語，據《集古錄》考訂文字數處，並據下文「稼苗夭殘，終年不登」推斷「末秋」當為「未秋」之訛。

有學者統計，《校訂存疑》的《隸釋》部分「被《金石萃編》引用六次，分別為卷八《敦煌長史武斑碑》、卷十二《衛尉卿衡方碑》、卷十三《孝廉柳敏碑》、卷十四《博陵太守孔彪碑》、卷十五《司隸校尉魯峻碑》、卷十九《仙人唐公房碑》等」[45]。除了在《校訂存疑》中考訂金石之外，朱文藻在濟寧時助黃易編成《濟寧金石志》，後助阮元編成《山左金石志》，助王昶編成《金石萃編》，自輯《碑錄》，考訂金石尤為朱氏所擅長。王昶《湖海詩傳跋》中還有朱文藻《釋夢英書說文偏旁跋》、[46]《雲麾將軍李秀殘碑拓本跋》、[47]《南宋石經跋》[48]等跋文，可見朱文藻在考訂金石方面的成就。他考訂金石的功力多為

---

43 （清）朱文藻：《校訂存疑》（南京圖書館藏清抄本），卷17，頁9a。

44 （清）朱文藻：《校訂存疑》（南京圖書館藏清抄本），卷17，頁6ab。

45 趙成傑：〈朱文藻金石活動考略〉，《中國書法》2017年第18期。

46 （清）王昶：《湖海文傳》（上海：上海古籍出版社，2013年），卷71，頁638。

47 （清）王昶：《湖海文傳》，卷72，頁649-650。

48 （清）王昶：《湖海文傳》，卷74，頁657-658。

學人肯定，比如他曾跋《晉任城太守孫夫人碑》，陳文述稱：「江君秬
香得此碑於新甫山下之張莊，原有黃小松釋文、朱朗齋、武虛谷、桂
未谷、翁覃溪、孫淵如、洪稚存諸君跋，並極詳贍，而朗齋、未谷、
覃溪三跋尤為精審。」[49]郭嵩燾稱：「《隸釋》載《漢廣陵屬國侯夫人
碑》，世無傳本，婦人碑銘見之石刻拓本以江氏所得此碑稱首，隸法
稍變漢人之遒緊而為駿爽。乾嘉諸老輩考證最詳，朱朗齋氏定八年為
泰始八年，武虛谷氏定孫父為魏侍中孫邕，其說確不可易。」[50]陳文
述、郭嵩燾等人均對朱文藻的考證結論作出高度評價。

三 餘論

　　朱文藻所撰《校訂存疑》一書多年來深藏書庫，不為人所知，故
校訂成果不為當代學人所用。實際上，該書考校八部典籍，尤其著重
考訂典籍中涉及時間、人物、地理、數字、金石等內容的記載，其書
考證審慎，實事求是，在校勘和考證方面具有較高的價值，應當引起
學人重視。

　　《校訂存疑》對歷史考證有其價值所在，但朱文藻的校勘考訂並
非完美，其書偶有校訛未盡之處。試舉一例，《資治通鑑》卷一七四
載：「周遣汝南公神慶、司衛上士長孫晟送千金公主於突厥。晟，幼
之曾孫也。」胡三省注：「按《隋》〈長孫晟傳〉及《唐》〈宰相世系
表〉，晟，長孫稚之五世孫。稚，字幼卿，生子裕，子裕生紹遠，紹
遠生覽，覽生敞，敞生熾，熾生晟，非曾孫也。若書稚字，『幼』下

---

49 （清）陳文述：《頤道堂文鈔》，《清代詩文集彙編》（上海：上海古籍出版社，2010
　　年），第505冊，卷7，頁119。

50 （清）郭嵩燾：《養知書屋集》，《清代詩文集彙編》（上海：上海古籍出版社，2010
　　年），第674冊，文集，卷8，頁432。

亦闕『卿』字。」[51]朱文藻校語記:「按,一世子裕,二世紹遠,三世
覽,四世敬[52],五世燨,六世晟,非五世也。」[53]胡三省認為,《通
鑑》將長孫晟視為長孫稚之曾孫為誤載,故引〈長孫晟傳〉和〈宰相
世系表〉等記載為據,列出長孫稚各世孫之名。朱文藻校勘時,發現
胡三省注中所言「五世孫」依胡氏所列當為「六世孫」,但因未檢核
《新唐書》〈宰相世系表〉原書,故僅校得胡注所舉長孫氏世系之表
面訛誤。實際上,若依《新唐書》〈宰相世系表〉[54],長孫稚生子長孫
裕,長孫裕生長孫兒,長孫兒生子長孫敞、長孫燨、長孫晟等。即長
孫敞、長孫燨、長孫晟乃兄弟關係,而非父祖關係,則長孫晟確為長
孫稚之曾孫。此則案例中,《通鑑》所載無誤但胡三省校語誤,而朱
文藻僅校出胡氏所列長孫家族世系數字之訛,未能檢核原書,瞭解其
中訛錯細節。故其校勘也有瑕疵,這也是應當注意的。

——原刊於《古籍整理研究學刊》二〇一九年第六期

---

51 (宋)司馬光:《資治通鑑》,卷174,頁5415-5416。

52 敬,疑為「敞」字之訛,形近致誤。

53 (清)朱文藻:《校訂存疑》(南京圖書館藏清抄本),卷4,頁9a。

54 (宋)歐陽修:《新唐書》,卷72上,頁2410-2411。

朱文藻《校訂存疑》的考校方法和特點

　　清代是校勘考證等學問發展的巔峰時期，這一時期，從事校勘和考證工作的學者輩出，他們對典籍進行校勘整理、考證糾謬，為後人閱讀和使用提供了極大便利。朱文藻是乾嘉時期的文獻學家，《校訂存疑》是他考訂典籍的成果，集中體現了他在校勘學和考證學等領域的造詣。

　　朱文藻（1735-1806），字映漘，號朗齋、碧溪居士，浙江杭州人。朱氏治學勤勉，早年館於汪氏振綺堂校訂群籍，一生未能謀得功名，卻屢為王杰、阮元、王昶等名流延請，纂修校訂《續三通》、《山左金石志》、《兩浙輶軒錄》、《金石萃編》等重要作品，足見其學識頗為時人肯定。但其一生多就館為館師、幕客，編書校書，許多成果歸在他人名下，使得長期以來，朱文藻之名暗然不顯。其著述多以稿抄本流傳，許多作品被瞿世瑛的清吟閣收藏。惜清吟閣藏書多在洪楊之亂時散失[1]，加劇了朱文藻作品的散佚。

　　今存《校訂存疑》為一抄本，曾經瞿世瑛、丁丙收藏，卷端鈐有「丁丙八千卷樓藏書記」印，著錄于瞿氏《清吟閣書目》、丁氏《八千卷樓書目》，現藏於南京圖書館，為目前所知的孤本。該書共四

1　《武林藏書錄》記瞿世瑛：「築清吟閣以儲書籍……而此外之古今版印之籍，不啻汗牛充棟矣，惜失於庚辛之亂。」（清）丁申：《武林藏書錄》（上海：上海古典文學出版社，1957年），頁86。

冊，館內著錄為十八卷。[2]每冊書籍封皮大字題《校訂存疑》，小字題寫所校之書的書名，合計之，《校訂存疑》所校之書有《資治通鑑》、《續通典》、《續通志》、《韻補》、《復古編》、《新加九經字樣》、《隸釋》、《隸續》等共八種。

近年以來，學界對朱文藻的關注漸增。陳鴻森先生所撰〈朱文藻年譜〉、〈被遮蔽的學者——朱文藻其人其學述要〉和〈朱文藻碧溪草堂遺文輯存〉等文章，為我們研究朱文藻的學術貢獻提供了基本線索和材料支持。但就《校訂存疑》一書而言，因其長期深藏書庫，不為人所熟知，對其考校方法和特點的專門研究付之闕如，與該書校訂眾多典籍、考訂精審的貢獻不相稱。筆者在摘錄南京圖書館所藏抄本《校訂存疑》的基礎上，概括《校訂存疑》的編纂情況，並以此小文總結該書在校勘考證方面的方法和特點。

一 《校訂存疑》的編纂過程

朱文藻每校一書，則在《校訂存疑》中都撰有一篇題記，略述該書的校訂緣由和校勘細節。今依時間為序歸納題記所述《校訂存疑》的編纂過程。

乾隆四十三年（1778），朱文藻應王杰之招赴京師，佐校《四庫全書》，兼編纂校閱《續三通》。《校訂存疑》記：「乾隆戊戌，應韓城王少宰惺園先生之招入都，館于虎坊橋，校閱三通館，纂《續三通》。」[3]

2　按：《八千卷樓書目》、《清續文獻通考》、《清史稿》等書均著錄《校訂存疑》為十七卷，該抄本《校訂存疑》各卷均以空頁或空行隔開，且各卷單獨編有頁碼，經筆者統計確為十八卷。其中卷十二僅有五頁，在統計中較易遺漏，或為《八千卷樓書目》等書將該書著錄為十七卷的緣由。

3　（清）朱文藻：《校訂存疑》（南京圖書館藏清抄本），卷7，頁1a。

據《校訂存疑》第三冊，朱文藻在《續三通》中參與校訂的部分有《續通典》的〈嘉禮〉、〈吉禮〉、〈凶禮〉、〈州郡〉、〈宋后妃傳〉、〈宋宗室傳〉、〈宋公主傳〉、〈宋列傳〉；《續通志》的〈禮略〉、〈都邑略〉、〈刑法略〉、〈昆蟲草木略〉等內容。

自京城校書南歸後，朱文藻就館汪日贊味餘書屋，「蓋為汪日桂校訂所刻書」[4]乾隆四十六年（1781）初夏，校錄《隸釋》；同年秋，汪氏據抄本、曹氏刻本和泰定本刻《隸續》，朱文藻復為其校訂。乾隆四十七年（1782）夏，欣托山房從明刻本抄得《韻補》一部，朱文藻復取宋本《韻補》參對，校出多處文字訛脫。「欣托山房」即欣托齋，為汪日桂讀書、藏書之所，收書甚富。杭世駿之《欣托齋藏書記》中說：「欣托齋有山池之勝……積卷至二十萬有奇。」[5]

乾隆四十八年（1783），朱氏校《復古編》。乾隆四十六年時，葛鳴陽刻《復古編》，其書經桂馥校訂。後朱文藻輾轉得之，錄其疑訛處數十條，並將謄錄一冊寄予桂馥，供其參考。

乾隆五十年（1785）秋，校《資治通鑑》。《校訂存疑》中記：「壽松堂孫氏購得明人路進所刻《通鑑》，取家藏宋本屬余互校，多所增改。」[6]即在乾隆五十年時，朱文藻應壽松堂孫氏之請，以宋本《通鑑》與明路進刻本對校，兼以明陳仁錫本校胡三省注。乾隆五十八年（1793）時，朱文藻造訪吳騫拜經樓，獲觀宋本《漢書》殘卷，題跋於書上。跋文中說：「壽松堂有溫公《通鑑》一部，較外間明刻本多增所未備，洵有補於史學……而《通鑑》一書，屢屬孫氏刊板流

---

4 陳鴻森：〈朱文藻年譜〉，南京大學古典文獻研究所主編：《古典文獻研究》（南京：鳳凰出版社，2017年），第19輯下卷，頁203。

5 （清）杭世駿：《道古堂文集》，杭世駿著，蔡錦芳、唐宸點校：《杭世駿集》（杭州：浙江古籍出版社，2015年），第2冊，卷18，頁282-283。

6 （清）朱文藻：《校訂存疑》（南京圖書館藏清抄本），卷1，頁1a。

傳，以卷帙繁富，窮於貲力而止，僅以卷首一序刻入抱經堂盧氏《群
書拾補》中。」[7]跋文中所稱《通鑑》即為朱氏校勘所用宋本，朱氏
屢請孫氏刊刻而未能成行。卷首之序見于盧文弨《群書拾補》，盧氏
說：「〈資治通鑑序〉，宋神宗御製。明陳仁錫梓本不載，他本亦未
見，余從宋本鈔得之。此一書之冠冕，帝王之盛事，不可闕也，因亟
為傳之。」[8]

　　乾隆五十八年（1793）夏，朱氏館于黃易濟寧官署，代撰《濟寧
金石志》。黃易出示趙信據宋槧本所刻《新加九經字樣》。朱文藻展讀
一過，見其多仍石本、項本之訛，故加以校訂。

　　以上為朱文藻校訂諸書、編纂《校訂存疑》的過程。自乾隆四十
三年至乾隆五十八年，朱氏分別為三通館校訂《續通典》、《續通
志》，為汪氏欣托山房校訂《隸釋》、《隸續》、《韻補》，為孫氏壽松堂
校訂《資治通鑑》，又校訂新校刻的《復古編》和《新加九經字樣》。
朱氏校勘考證諸書的成果匯集到一起，形成了《校訂存疑》一書。

二　《校訂存疑》的考校方法

　　《校訂存疑》在校勘和考證典籍時，應用了很多行之有效的方
法，具體說來，主要有以下幾種：

（一）以對校為基礎

　　陳垣先生在《校勘學釋例》中將校勘的方法總結為「對校、他

7　（清）朱文藻：《宋本〈漢書〉跋》（南京圖書館藏宋本《漢書》殘卷）。

8　（清）盧文弨：《群書拾補》，《清人校勘史籍兩種（中）》（北京：北京圖書館出版
　　社，2004年，影印民國十二年〔1923〕北京直隸書局抱經堂叢書本），頁715。

校、本校、理校」四法。[9]其中,「對校」是指一書的不同版本之間的比勘,是校勘的基礎。在實際校勘工作中,朱文藻往往以對校為基礎,尋找各版本的異同,以求校出異文,發現問題。據《藏書題識》、《拜經樓藏書題跋記》等書目記載,朱文藻在為汪氏振綺堂、鮑氏知不足齋等藏書家校勘《寶祐四年登科錄》、[10]《乾道臨安志》、[11]《讀書敏求記》、[12]《默記》、[13]《萬柳溪邊舊話》[14]等書時,就常常從各家借得善本進行對校,使各家藏本趨於完善。

　　《校訂存疑》記載,在校勘《資治通鑑》時,朱文藻以孫氏新購得明人路進刻本和壽松堂所藏宋本對校,因宋刻無胡注,又以陳仁錫本參校。《校訂存疑》對宋本《資治通鑑》的利用大致說來有以下幾種情況。第一,以版本間的對校校出異文,宋本是者,據宋本改正,例如:「迎濟陰王即皇帝位,時年十一。宋本作年十二,按順帝以建康元年崩,在位十九年,則當即位之年正十二歲,宋本是也,今據改。」[15]第二,宋本與明本可以兩存者,存之以供參考,如:「天子改容而禮貌之矣。宋本禮貌作體貌,存之以參考。」[16]第三,不盲從宋本,對校得出宋本有訛字、脫文,注文指出。如「封其子延年為成安侯。宋本脫安字」[17];「安都侯志為濟北王。宋本濟北訛為齊北」[18]。

9　陳垣:《校勘學釋例》(北京:中華書局,2016年),頁135-139。

10　(清)汪璐輯,李慧標點:《藏書題識》(上海:上海古籍出版社,2009年),頁29。

11　(清)吳壽暘著,郭立暄標點:《拜經樓藏書題跋記》,卷3,頁93-94。

12　(清)汪璐輯,李慧標點:《藏書題識》,頁29。

13　(清)吳壽暘著,郭立暄標點:《拜經樓藏書題跋記》,卷4,頁113。

14　(清)朱文藻:〈萬柳溪邊舊話跋〉,陳鴻森輯:《朱文藻碧溪草堂遺文輯存》,程水金主編:《正學》(南昌:江西人民出版社,2016年),第4輯,頁390。

15　(清)朱文藻:《校訂存疑》(南京圖書館藏清抄本),卷1,頁21b。

16　(清)朱文藻:《校訂存疑》(南京圖書館藏清抄本),卷1,頁4b。

17　(清)朱文藻:《校訂存疑》(南京圖書館藏清抄本),卷1,頁5b。

18　(清)朱文藻:《校訂存疑》(南京圖書館藏清抄本),卷1,頁4b。

第四，以宋本校胡注，並得出胡氏所用之本為當時流傳之訛本的結論。如：「柱國李弼遣擊破之。胡氏注云：『遣擊恐當作追擊。』今宋本正作追擊。」[19]又如：「問知其夫人。宋本此下有皆驚二字，按：胡注云『此下依《漢書》有皆驚二字，文意乃足，它本皆有此二字』。所謂它本者，蓋即與此宋本同也，而胡氏不敢遽增，然則信乎胡氏所見之本，乃當時流傳訛本也。」[20]在校勘考訂《資治通鑑》時，朱文藻集中使用對校法，用宋本與明本對校。此外，欣托山房從明刻本《韻補》手抄一過，屬朱文藻校正，朱氏也「取宋刻本參對」。可見他的校勘是以對校為基礎的。

（二）兼用本校、他校、理校

朱文藻對本校法運用也相當嫻熟，在校訂《續通典》、《續通志》的內容時，常用本紀、列傳、職官表前後相校。例如「〈石熙載傳〉，按〈太宗本紀〉『太平興國四年正月癸巳，置簽書樞密院事，以石熙載為之』，則是簽書樞密之官四年始置。本傳書於四年之前，誤也。今擬存太平興國四年句，而於簽書樞密院事下加按作注，以訂正史傳之誤，似於考證史文不無小補。拜戶部尚書樞密使，據〈本紀〉及〈宰輔表〉俱作六年九月，此作五年，亦誤。」[21]此處朱文藻以《宋史》之〈太宗本紀〉和〈宰輔表〉為據，以本校法考訂〈石熙載傳〉中石氏為官時間，其考證結果有據可循，故為《續通志》所採。[22]這樣的例子還有很多，茲不列舉。

19　（清）朱文藻：《校訂存疑》（南京圖書館藏清抄本），卷4，頁3b。
20　（清）朱文藻：《校訂存疑》（南京圖書館藏清抄本），卷1，頁10a。
21　（清）朱文藻：《校訂存疑》（南京圖書館藏清抄本），卷11，頁7a-b。
22　（清）乾隆官修：《續通志》（杭州：浙江古籍出版社，2000年，影印萬有文庫本），卷304，〈列傳〉，頁5000上。

　　《校訂存疑》中也常引用其他有關書籍進行校勘，來校正正文和注文的錯誤，此乃使用他校法校勘典籍。如校胡氏注文時說：「舊替字無水，至隋加水。此語本之《太平寰宇記》。考《咸淳臨安志》云《西漢志》作『替』，『師古注音潛，《東漢》〈郡國志〉始加水作潛，以後諸史皆同』。據此則加水者始東漢，非自隋始矣。」[23]胡三省《資治通鑑音注》本《太平寰宇記》卷九十三，以為「替」字無水，至隋始加水，朱文藻使用他校法，引用《咸淳臨安志》的記載，指出「加水者始東漢」。

　　他有時依據事實情形進行合理分析，提出疑義，進行理校。如校訂「是歲八月，有甘露降於紫宸殿前櫻桃之上，上親采而嘗之」，朱文藻以為，「櫻桃」若指樹，則不應云「采而嘗之」；若指果實，則不合時令。[24]當然，此處可理解為，「上親采而嘗之」的是降於「櫻桃樹」之上的甘露，如此便無疑義。理校之例又如：「多作木槍。胡氏注云：『此即拒馬槍也，杜佑曰，拒馬槍，以木徑二尺，長短隨事，十字鑿孔，縱橫安檢，長一丈，銳其端，以塞要路。』按：徑二尺之木，其圍六尺，似太粗重，加以縱橫安檢，則是兩木十字交午，更重滯矣，疑二尺有訛。」[25]核之《通典》，此處作「二尺」，只是在實際應用中，「徑二尺」之木確顯「粗重」。朱文藻依實際情形，對史文記載提出自己的看法，縱使未能校得訛誤，也反映出他在讀書校書時的謹慎態度和縝密思考。

（三）使用曆日推算、數據考核、金石史文互證等方法

　　朱氏在校訂典籍時，對涉及時間、數字的記載非常關注，他常使

23　（清）朱文藻：《校訂存疑》（南京圖書館藏清抄本），卷4，頁22b-23a。

24　（清）朱文藻：《校訂存疑》（南京圖書館藏清抄本），卷5，頁19b-20a。

25　（清）朱文藻：《校訂存疑》（南京圖書館藏清抄本），卷3，頁27a。

用曆日推算法考校時間，使用數據考核法考校數字。如《通鑑》卷二七三唐莊宗同光三年載：「自六月甲午雨，罕見日星，江河百川皆溢，凡七十五日乃霽。」[26]朱文藻校正此條說：「按上文云，自春夏大旱，六月壬申，始雨。則六月之雨乃壬申而非甲午矣。且以四月癸亥朔推之，六月當是壬戌、癸亥等朔，月中亦無甲午也。又自六月壬申推至九月辛丑已九十日，不止七十五日。若從七十五日逆推之，乃是六月丁亥，在二十五六日之間也。識以俟考。」[27]前文有六月壬申始降雨的記載，此處又言六月甲午雨；且按干支紀日法推算，六月當無「甲午」之日。又據連續降雨七十五日前後推算，發現此條記載之矛盾。可見他常利用前後文的記載，使用干支紀時、正逆推算結合的方法，來校正時間。在對《隸釋》的校訂中，借用曆日推算法，還能補出脫字。如《無極山碑》載「光和四年（缺）月辛卯朔」，「月」前有闕字，朱氏以下文八月辛酉朔考之，得出此月當是七月的結論[28]，則闕字當為「七」。

朱文藻在校書時，常使用數據考核法考證數量，如州縣數、人數、字數、書籍卷數等，核對數字名實，進而發現問題所在。在校《續通典》〈州郡〉「秦鳳路縣四十八」條時，校語說：「按，秦州縣四、鳳翔府九、隴州四、成州二、鳳州三、階州二、渭州五、涇州四、原州二、德順軍一、會州一、熙州一、河州一、鞏州三、岷州三、蘭州一，凡四十六縣。此云四十八，史文誤也。」[29]通過列舉州縣名，復核數字，發現史文所載有誤。又如在校《隸續》《楊震碑》時，

26 （宋）司馬光：《資治通鑑》（北京：中華書局，1956年），卷273，〈後唐紀二〉，頁8937。

27 （清）朱文藻：《校訂存疑》（南京圖書館藏清抄本），卷6，頁10a。

28 （清）朱文藻：《校訂存疑》（南京圖書館藏清抄本），卷17，頁5b。

29 （清）朱文藻：《校訂存疑》（南京圖書館藏清抄本），卷9，頁4b-5a。

對碑文所云複姓之人一一列明,進行復核,發現所言不實[30]。在校《隸釋》卷十四之《石經尚書殘碑》、《石經公羊殘碑》、《石經論語殘碑》三碑時,以碑文字數與洪氏所稱相核對,才發現洪氏所言有誤。

在歷史考證中,朱氏常使用墓誌銘、神道碑等金石材料,與傳世史料相互比勘,利用金石史文互證法考校典籍。如考訂《宋史》〈狄青傳〉時記:「〈狄青傳〉,真定路副都總管,據王珪撰神道碑作鎮定路。按鎮定是合鎮州、定州為一路;真定是一府也。考〈地理志〉,鎮州改稱真定府係慶曆八年,元昊稱臣係慶曆四年。青為總管,其時鎮州未改真定,本傳似訛。」[31]《宋史》記載,(狄青)「元昊稱臣,徙真定路副都總管」,朱氏認為元昊稱臣之時,距鎮州改稱真定尚有四年,故狄青所任當為鎮定路副都總管,〈狄青傳〉記載有誤,當以神道碑為是。朱氏常引用《集古錄》、《金石錄》等書的記載,同《隸釋》、《隸續》互相訂正。如考校《門生故吏名》,校語云:「洪氏云《孔宙碑陰》凡門生四十二人、門童一人。考《集古錄》誤並為門生四十三人。洪氏又引趙氏謂氏族書無薤姓,今按《金石錄》於此碑但云氏族書無捕姓,指碑中門生巨鹿廣宗捕巡也,未嘗云無薤姓。」[32]此則材料中,朱文藻先以《隸釋》校訂《集古錄》所云「門生四十三人」之誤,又以《金石錄》所載「無捕姓」訂正洪氏云「無薤姓」的說法,利用《集古錄》、《金石錄》、《隸續》相互勘正。

三 《校訂存疑》的考校特點

除多種校勘、考證方法綜合運用之外,朱文藻的《校訂存疑》在

---

30 (清)朱文藻:《校訂存疑》(南京圖書館藏清抄本),卷18,頁5b。

31 (清)朱文藻:《校訂存疑》(南京圖書館藏清抄本),卷11,頁18b。

32 (清)朱文藻:《校訂存疑》(南京圖書館藏清抄本),卷17,頁8b。

校勘和考證上又有擅長小學考校、重視古書義例和多聞闕疑、反對妄
改等顯著特點。

(一)以小學為優長

朱文藻以小學家聞名,曾作《說文繫傳考異》,張之洞《書目答
問》將他列於「小學家」和「金石學家」。他不僅在《校訂存疑》中
考校《韻補》、《復古編》、《新加九經字樣》等多部小學著作,在對
《通鑑》的校勘中,朱氏也格外關注文字音韻。《通鑑》卷二一七
「常清既死,陳屍蘧蒢」,朱文藻校記曰:「蘧蒢,據《說文解字》作
『籧篨』,謂粗竹席也,字從竹,今《通鑑》從艸。」[33]指出《通鑑》
用字與《說文》有異。

朱文藻尤其關注胡注的音切,並且校出胡氏音韻中的一些問題。
如:「踐息淺翻。按:踐字,《集韻》才線切;《廣韻》引《周禮》『不
踐其類』,釋文云音翦;又《曲禮》『日而行事則必踐之』,注云:『讀
曰善。』疏云:『踐,善也。』此外無有息淺翻者,初疑息字乃慈字
之訛,後考卷中多從息淺,則非字誤,蓋胡氏《通鑑音切》多舍正讀
而從旁義,有不可強解者。」[34]又如:「廩當作稟,音筆錦翻,給也。
按:筆錦翻者,乃稟受之稟,非廩給之廩,其訓給者正當作廩或作
稟,二字通用,音力錦翻。胡氏《通鑑音切》往往不用本義,而取旁
音,如此者甚多,不可從也。」[35]朱氏考校胡注對「踐」、「廩」等字
之音切,從而得出胡氏《通鑑音注》具有「多舍正讀而從旁義」、「不
用本義,而取旁音」的特點,並指出這種方式「不可從也」。

在考校金石時,朱文藻也有意識地利用小學知識。如校《隸續》

---

33 （清）朱文藻:《校訂存疑》（南京圖書館藏清抄本）,卷5,頁6a。

34 （清）朱文藻:《校訂存疑》（南京圖書館藏清抄本）,卷1,頁26b。

35 （清）朱文藻:《校訂存疑》（南京圖書館藏清抄本）,卷5,頁7a。

〈膠東令王君廟門斷碑〉時記:「內營機密,按原鈔刻本俱在[36]『內菅機密』,此『菅』字非草『菅』之『菅』,乃即『管』字也。隸體竹多作艸;又管與筦通用,故唐宋人往往有『入筦樞務』之語,正即此義,今改菅為營,似未確。」[37]列舉例證,指出此處營字當為菅,即管字。

(二)重視古書義例

清代文獻學者在校勘典籍時,多關注古書義例。段玉裁稱盧文弨:「公治經有不可磨之論。其言曰:『唐人之為義疏也,本單行,不與經注合。單行經注,唐以後尚多善本。自宋後附疏於經注,而所附之經注,非必孔、賈諸人所據之本也,則兩相鉏鋙矣。南宋後又附《經典釋文》於注疏間,而陸氏所據之經注,又非孔、賈諸人所據也,則鉏鋙更多矣。淺人必比而同之,則彼此互改,多失其真,有改之不盡以滋其鉏鋙者,故注疏、《釋文》合刻似便而非古法也。』其讀書特識類如此。」[38]唐人作義疏常常單本刊行,以避免文本混淆、矛盾。宋以後,常將義疏與經注甚至《經典釋文》合刊,然所用經注文本又不與原義疏之本相合,故多出現經注、義疏不相呼應的錯誤。盧氏反對亂改經注文本,以免破壞經注體例,造成錯誤反覆迭加而失舊書原貌的惡果。段玉裁推崇盧氏之說,要旨在於校勘不破著書體例。

重視古書義例也是朱文藻考訂的一大特點。他指出,不需辯駁無關本書宗旨的訛誤,以合乎著書義例。如校《續通志》〈昆蟲草木略〉時說:「此系纂《續通志》,非為辨《通志》及《爾雅》諸書之

---

36 「在」,疑為「作」字之訛。

37 (清)朱文藻:《校訂存疑》(南京圖書館藏清抄本),卷18,頁8a。

38 (清)段玉裁:〈翰林院侍讀學士盧公墓誌銘〉,(清)盧文弨著、王文錦點校:《抱經堂文集》(北京:中華書局,1990年),頁1。

誤。凡無關補續者,不必摻入。」³⁹

　　遵循上述的原則,朱文藻以宋本《通鑑》校勘明本時,凡發現已由胡注指出的文本訛誤皆不再改動,以保持舊書體例。如「京師莫不震慓,注云:『慓當作慄。』今據宋本正作『慄』,既有胡注因仍其舊不改。」⁴⁰他說:「今校明本互異而胡氏注語與明本合,不能據宋本改正,因識於此。」⁴¹或明本刊刻時對文本已有增改,但未及胡注,致使《通鑑》正文與胡注不相呼應,朱文藻指出其問題,認為如此情況不需前後改動。例如「劉龍驤智勇兼人。胡氏注云:『此必逸龍字。』則胡氏所見《通鑑》本文是劉驤,非劉龍驤也。今宋本有龍字,明本於劉驤二字之間改板,嵌一龍字,可知當時亦據宋本增改而未及細核胡注,其實不必增也。今既增,實不便改從脫誤面目,因識之。」⁴²這種提議實與盧文弨所云「彼此互改,多失其真」正相契合。

　　他在校勘《資治通鑑》時,對《資治通鑑》和胡注的體例均有所關照。如考校《資治通鑑》卷五:「昭襄王。宋本每王上俱有秦字,如昭襄王則云秦昭襄王。今據通部之例,別紀皆不加朝代,則此卷既稱秦紀,其為秦某王可知不必加秦字。」⁴³此處朱氏據「別紀皆不加朝代」的體例,指出則秦某王不需加秦字。又以胡注的注例校勘,他指出,胡三省注《通鑑》,凡遇「少」字皆加注音,明本作「姻戚不小」,宋本作「姻戚不少」⁴⁴,而胡氏無注,則胡氏所見本即作「小」。

　　他在校《復古編》時,也通過關注古書義例校出訛誤。如校

39　(清)朱文藻:《校訂存疑》(南京圖書館藏清抄本),卷13,頁4a。

40　(清)朱文藻:《校訂存疑》(南京圖書館藏清抄本),卷1,頁17b。

41　(清)朱文藻:《校訂存疑》(南京圖書館藏清抄本),卷3,頁26a。

42　(清)朱文藻:《校訂存疑》(南京圖書館藏清抄本),卷5,頁31a。

43　(清)朱文藻:《校訂存疑》(南京圖書館藏清抄本),卷1,頁2b。

44　(清)朱文藻:《校訂存疑》(南京圖書館藏清抄本),卷1,頁20a。

「離」字時,以「雞」字的注釋方式作類比來校正對「離」字的訓
解,指出《復古編》中因脫一「離」字而產生歧義,當作「離,離
黃,倉庚也」[45],才無疑義。

(三)多聞闕疑、反對妄改

朱文藻在校訂諸書後題名《校訂存疑》,本身即是闕疑審慎態度
的體現。他在校訂典籍存有疑義、一時不能解決之處,常按「不敢臆
改」、「不敢妄增」,以「存疑」或「俟考」注出,而不妄下雌黃。
如:「懷令趙憙窮治其奸。注云『憙許記翻,又讀曰憙』,按憙即本
字,不應仍以本字為又讀也。考字書有作虛裡、許已二切者,或當云
『又讀曰喜』。未詳是否,識以俟考。」[46]《通鑑》卷四十三記,漢光
武帝建武十七年,「初,懷縣大姓李子春二孫殺人,懷令趙憙窮治其
奸」[47],胡三省在「奸」字後注:「憙,許記翻,又讀曰憙。」朱文藻
所見《通鑑》中,胡注以「憙」注「憙」。他認為不應以本字為又
讀,此處或當作「讀曰喜」,但終不確,以「俟考」注出。

朱文藻在校訂《通鑑》時,有時諸本均有分歧,宋本也有訛錯之
處。他說:「刻本任意參差,彼此互異,今惟以宋本為據,宋本誤者
不加刊正,蓋存其舊面目耳。」[48]發現宋本有訛,為保存宋本的原本
面目,僅加按注出而不校改。儘管宋本《通鑑》珍貴,但他在校訂時
不全以宋本為據,而是參考明本與胡注,多方考慮。如:「謁者南陽宗
均監援軍。南陽宗均,《後漢書》列傳作宋均,胡氏注引《金石錄》以
宗為是,宋為非。今據宋本以此處作宗,而本卷前頁東海相宗均則又

---

45 (清)朱文藻:《校訂存疑》(南京圖書館藏清抄本),卷15,頁1b。
46 (清)朱文藻:《校訂存疑》(南京圖書館藏清抄本),卷1,頁16b-17a。
47 (宋)司馬光:《資治通鑑》,卷43,〈漢紀三五〉,頁1417。
48 (清)朱文藻:《校訂存疑》(南京圖書館藏清抄本),卷3,頁11a。

作宋。前後互異,係宋本而不畫一,今仍明本之舊,附識於此。」[49]
此處,明本《通鑑》作「宗均」,宋本此處作「宗」,前頁作「宋」,
朱文藻在發現歧異之後,認為宋本前後不一,選擇仍明本之舊。

又如在校訂《隸釋》時,無確切證據時僅作推測,不下斷語。如
考《浚儀令衡立碑》,因碑文內容磨滅缺蝕,朱文藻在歐陽修、洪適
意見的基礎上,引《衡方碑》兩碑互證,作出「衡立乃衡方之子姪行
也」的推測[50],但終因文字磨滅、證據缺失不下斷語,以俟他日找到
依據時再考。

四　結語

朱文藻苦心校勘諸書,編訂群籍,極為勤奮,梁同書說他「君一
生續學篤行,著書日以寸計,至老不倦」[51]。館於振綺堂時,朱文藻
就為汪憲和鮑廷博等藏書家校理藏書,《振綺堂書錄》記載朱氏的校
書經歷頗豐,惜原書不見流傳,僅被汪璐《藏書題識》略引一二。朱
氏在對《校訂存疑》所載的八種典籍進行校勘和考證的實踐中,不僅
能夠熟練使用對校、本校、他校、理校等方法,而且對曆日推算法、
數據考核法、金石史文互證法等方法的運用也相當嫻熟。在校書時,
他關注文字音韻和古書義例,實事求是,多聞闕疑,反對妄改。他在
校勘中本著嚴謹的校勘態度和求實的考證精神,因此《清史列傳》引
王昶之說,稱他「漁獵百家,精六書,自《說文》以下,及鐘鼎款
識,無不貫串源流。又通史學,凡紀傳、編年、紀事、《通典》諸

49　(清)朱文藻:《校訂存疑》(南京圖書館藏清抄本),卷1,頁18a。
50　(清)朱文藻:《校訂存疑》(南京圖書館藏清抄本),卷17,頁15a。
51　(清)梁同書:〈文學朗齋朱君傳〉,朱文藻:《朗齋先生遺集》(清道光二十五年崇
　　雅堂刻本),卷首。

書，輒能考其缺略，審其是非」[52]，此言可信也。

——原刊於《歷史文獻研究》二〇一九年第二期

---

[52] 佚名撰，王鍾翰點校：《清史列傳》（北京：中華書局，1987年），卷72，〈文苑傳三〉，頁5891。

四庫修書中乾隆嘉獎對江浙藏書家的影響分析

　　乾隆時期纂修《四庫全書》是清代文化史上的重大事件，為纂修《四庫全書》，乾隆發起了規模宏大的徵書行動，得到了江浙藏書家的強力支持。乾隆皇帝對藏書家的回應逐漸表示出讚賞，並發布了一系列的嘉獎措施。這些舉措對私人藏書家產生激勵，從而影響了私家藏書和學術事業的發展。既往的研究更多關注私家藏書對四庫修書的助力和貢獻，本文試從乾隆皇帝對江浙藏書家的嘉獎措施及藏書家的反響入手，考察嘉獎舉措對藏書家藏書心態的影響，以揭示四庫修書對私家藏書的深遠影響。

一　乾隆皇帝對江浙藏書家的嘉獎措施

　　清代江浙地區文化發達，書籍收藏蔚成風氣。乾隆皇帝為纂修《四庫全書》廣徵群書，江浙藏書家貢獻尤多，不僅獻書規模居全國前列，而且多善本精品。為了表彰江浙藏書家的獨特貢獻，纂修《四庫全書》前後，乾隆皇帝制定並頒行了一系列嘉獎措施。主要包括三個方面。第一，是在徵書諭旨中肯定江浙藏書家的傑出成就；第二，是針對獻書較多的藏書家進行賜書、題詩、錄名等特別獎勵；第三，是在江浙設立文瀾、文匯、文宗三閣，以嘉惠藝林。

　　為了廣徵書籍，乾隆皇帝先後數次頒布諭旨發動官員四處訪求。

　　乾隆多次提到，江浙乃人文淵藪，藏書之家較他省為多，應該列為訪書的重點。乾隆三十八年（1773）三月二十八日，乾隆帝詔諭內閣傳令各督撫限半年迅速購訪遺書。諭旨中責備地方官員奉行故事，「上以實求，下以名應」，未能體認其訪書的殷切意願。他在諭旨中充分肯定了江浙藏書的興盛局面，認為「江浙諸大省，著名藏書之家，指不勝屈」，縱然一家之書散佚，其書仍在江浙境內流轉。[1]次月，乾隆在諭旨中再次點明：「聞東南從前藏書最富之家，如崑山徐氏之傳是樓、常熟錢氏之述古堂、嘉興項氏之天籟閣、朱氏之曝書亭、杭州趙氏之小山堂、寧波范氏之天一閣，皆其著名者，餘亦指不勝屈，並有原書目至今尚為人傳錄者。」[2]這些諭旨不僅是對徵書範圍的明確指示，而且對江浙藏書家多有褒揚讚譽。乾隆特別推重寧波天一閣，屢次發布讚賞之辭，稱「藏書之家頗多，而必以浙之范氏天一閣為巨擘」，認為天一閣修建合理，管理得當，藏書流傳最久。[3]這種表彰對於藏書家而言，往往是莫大的恩榮。

　　除了在諭令中多次表彰江浙藏書家外，乾隆皇帝還針對獻書較多的幾家進行了特別獎勵，其中包括賜書、題詩、記名等形式。[4]

　　賜書是針對獻書較多的藏書家賞賜《古今圖書集成》和《佩文韻府》。乾隆三十九年（1774）五月十四日，皇帝頒布御旨，按照獻書

1　中國第一歷史檔案館編：《纂修四庫全書檔案》（上海：上海古籍出版社，1997年），43〈諭內閣傳令各督撫予限半年迅速購訪遺書〉，頁68。

2　中國第一歷史檔案館編：《纂修四庫全書檔案》，45〈寄寓兩江總督高晉等於江浙迅速購訪遺書〉，頁70。

3　中國第一歷史檔案館編：《纂修四庫全書檔案》，158〈諭著杭州織造寅等親往寧波詢察天一閣房間書架具樣呈覽〉，頁212。

4　獻書五百種以上的馬、鮑、范、汪四家均為江浙人士；而從各省獻書數量來看，江浙遙遙領先，獻書規模遠超其他各省。故獲乾隆恩賞者，大多為江浙藏書家。參見周少川：〈《四庫全書》與藏書家〉，《四庫學》2021年第1期。

五百種以上和一百種以上兩個等級向江浙藏書家賞賜書籍。馬裕、鮑士恭、范懋柱、汪啟淑四家獻書分別超過五百種，乾隆帝考慮到內府所藏《古今圖書集成》乃「書城巨觀，人間罕覯」，賜予四家《古今圖書集成》各一部，「俾尊藏勿失，以永留貽」。江蘇周厚堉、蔣曾瑩、浙江吳玉墀、孫仰曾、汪汝瑮等藏書家獻書則均在百種以上，乾隆命每家各賞賜內府初印本《佩文韻府》一部，「俾亦珍為世寶，以示嘉獎」[5]。此外，對於有突出貢獻的藏書家，乾隆皇帝還頒發了其他賞賜。如賜予天一閣范氏《平定回部得勝圖》十六福、《平定兩金川戰圖》十二福，賜予汪啟淑《平定伊犁戰圖》一冊、《小金川戰圖》一冊。

題詩是指乾隆皇帝在獻書百種以上諸家所獻之書中擇尤為精醇者，親自評詠，題識簡端，即諭旨所云「擇其書尤雅者，制詩親題卷端，俾其子孫世守，以為稽古藏書者勸」[6]。如在振綺堂進獻的宋陳思《書苑菁華》上題：「好惡為君宜慎哉，搜書種種挈籤來。不能無彼因有此，用識心存欲政推。運筆諸家備傳法，臚篇廿卷允稱才。臨池那盡帝王事，獨愛公權一語該。」[7]對於藏書家而言，皇帝題詩的行為本身即意味著恩賞，況且皇帝所題之詩多有嘉許之詞。乾隆皇帝在鮑廷博進獻的《唐闕史》上則題「知不足齋奚不足，渴於書籍是賢乎」[8]，又在天一閣進呈的魏了翁《周易要義》題「《四庫》廣搜羅，懋柱出珍藏。鈔刻俾歸之，牖世文教昌。卷首題無言，用貢世守

5 中國第一歷史檔案館編：《纂修四庫全書檔案》，157〈諭內閣賞鮑士恭等《古今圖書集成》周厚堉等《佩文韻府》各一部〉，頁211。

6 中國第一歷史檔案館編：《纂修四庫全書檔案》，171〈諭內閣著四庫全書處總裁等將藏書人姓名附載於各書提要末並令編〈簡明書目〉〉，頁228。

7 （清）汪諴：《振綺堂書目》（南開大學藏玉笥山房抄本）。

8 （唐）高彥休撰：《御題唐闕史》，鮑廷博：《知不足齋叢書》（上海：上海古書流通處，1921年），第1輯，頁81。

長」[9]。這使藏書家感受到來自皇帝的推重和褒揚。

記名即將獻書人的姓名附載於各書提要中。乾隆帝考慮到諸家進獻之書，在《四庫全書》纂輯完善後，仍將發還各家，四庫提要中如不登載獻書者姓名，閱讀者將無從知曉書所自來，亦無從彰顯各家珍藏資益之善。故於三十九年七月二十五日，發布諭旨曰：「著通查各省進到之書，其一人而收藏百種以上者，可稱為藏古之家，應即將其姓名附載於各書提要末；其在百種以下者，亦應將由某省督撫某人採訪所得，附載於後。」[10]這裡按照獻書百種以上作為著錄標準，提倡在《四庫全書總目提要》中登錄藏書家姓名。此後提要格式略有變化，改為將姓名登載於書名之下。當然除以上三種獎勵外，乾隆還有其他形式的獎賞。如在南巡時，乾隆曾在揚州馬曰琯處停留，賞賜馬氏御制書及詩作[11]，又曾賜給振綺堂汪氏、知不足齋鮑氏一些高檔絲織品，對於臣民來說，這也是榮光之事。

除對進獻書籍的藏書家提出表彰、獎勵以外，考慮到江浙士人讀書治學的需求，乾隆特意下諭分抄《四庫全書》，置於杭州、鎮江、揚州三地，建成南三閣。這被視為是「嘉惠士林」的舉措。乾隆四十七年（1782）七月初八日諭旨曰：

> 朕稽古右文，究心典籍，近年命儒臣編輯《四庫全書》，特建文淵、文溯、文源、文津四閣，以資藏庋。現在繕寫頭分告竣，其二、三、四分限於六年內按期蕆事，所以嘉惠藝林，垂

9　（清）范邦甸等撰，江曦、李婧點校：《天一閣書目》（上海：上海古籍出版社，2010年），頁23。

10　中國第一歷史檔案館編：《纂修四庫全書檔案》，171〈諭內閣著四庫全書處總裁等將藏書人姓名附載於各書提要末並令編〈簡明書目〉〉，頁228-229。

11　佚名撰，王鍾翰點校：《清史列傳》（北京：中華書局，1987年），頁5867。

示萬世，典至鉅也。因思江浙為人文淵藪，朕翠華臨蒞，士子
涵濡教澤，樂育漸摩，已非一日，其間力學好古之士、願讀中
秘書者，自不乏人。茲《四庫全書》允宜廣布流傳，以光文
治。如揚州大觀堂之文匯閣、鎮江金山寺之文宗閣、杭州聖因
寺行宮之文瀾閣，皆有藏書之所，著交四庫館再繕寫全書三
分，安置各該處，俾江浙士子得以就近觀摩謄錄，用昭我國家
藏書美富，教思無窮之盛軌。[12]

乾隆五十五年（1790），南三閣《四庫全書》陸續入藏。當年五
月二十三日，乾隆再頒諭令，強調《四庫全書》「薈萃古今載籍，至
為美備」，不應僅由內府收藏，而應流傳廣播，沾溉藝林，而且江浙
兩省乃人文淵藪，多嗜古力學之士，「自必群思博覽，藉廣見聞」，故
諭令江浙督撫等諄飭所屬，俟全書排架後，允許江浙兩省士子如有願
讀閣書者，可到閣抄閱。[13]這種嘉賞，與當初江浙藏書家踴躍獻書、
助修《四庫全書》是分不開的。

二　藏書家對乾隆皇帝嘉獎的反應

乾隆皇帝多次發出徵書諭旨，既肯定了江浙藏書的興盛局面和藏
書家的收藏之富，又畫定了徵求書籍的重點範圍。江浙兩省官員逐漸
醒悟，分赴各處向藏書之家徵求書籍，得到積極回應。雖然乾隆屢次
強調徵書僅向藏書家借錄副本，各家不必進呈原書，不追究違礙之責，

---

12 中國第一歷史檔案館編：《纂修四庫全書檔案》，890〈諭內閣著交四庫館再繕寫全
　書三分安置揚州文匯閣等處〉，頁1589。

13 （清）永瑢等：《四庫全書總目》（北京：中華書局，1965年），卷首，〈聖諭〉，頁
　7-8。

並多次曉諭官員不可截留私吞，不可假手胥吏，不可多方滋擾。[14]但從地方官員與藏書家互動的過程來看，官員多作為上位者「宣示德音」、「曲為開導」，作為回應，藏書家往往以恭敬和順從的姿態，表示「踴躍爭先，情願呈獻」。乾隆三十八年（1773）閏三月二十日，兩淮鹽政李質穎本著「務期必得，以多為貴」的原則，派鹽務總商江春向揚州馬氏等藏書家徵求書籍，後上奏稱：「今奴才欽奉上諭，傳該商到署，宣示德音，善言詢問。該商欣喜踴躍，即將書目呈出。」[15]李質穎開敘目錄，準備向馬家「借取抄繕」，而馬氏的回應是：「商人受皇上培養深恩，淪肌浹髓，今蒙購訪遺書，商人家內所藏，苟有可采，得以仰邀睿覽，已為非分之榮，何敢復煩抄繕，致需時日，只求將原書呈進，便是十分之幸了。」[16]請求進獻原書，省去抄繕之勞。李質穎認為馬氏「言詞誠切，出自實心」，故向乾隆提議「似應准其所稟」。於是乾隆默許了呈獻原書的做法，朱批「俟辦完四庫全書，仍將原本發還，留此亦無用也」[17]。參與進獻藏書較多的幾家如兩淮馬裕、鮑廷博、汪啟淑、汪汝瑮等，多有商人尤其是鹽商的背景。他們的生計尤其依賴官方支持，況且朝廷還特別選擇了鹽政官員參與徵書。縱使清楚進獻原書可能面臨無法奉還的風險，面對朝廷徵書的要求仍然難免表現出卑微的態度。浙江省的情況也不例外，浙江巡撫三寶稱乾隆承諾向諸家借抄，併發還原書，且對書中忌諱字句不加罪責之舉實

---

14 中國第一歷史檔案館編：《纂修四庫全書檔案》，43〈諭內閣傳令各督撫予限半年迅速購訪遺書〉、52〈兩淮鹽政李質穎奏解送馬裕家書籍折〉，頁67、87。

15 中國第一歷史檔案館編：《纂修四庫全書檔案》，52〈兩淮鹽政李質穎奏解送馬裕家書籍折〉，頁87。

16 中國第一歷史檔案館編：《纂修四庫全書檔案》，52〈兩淮鹽政李質穎奏解送馬裕家書籍折〉，頁87。

17 中國第一歷史檔案館編：《纂修四庫全書檔案》，52〈兩淮鹽政李質穎奏解送馬裕家書籍折〉，頁87。

乃「聖意殷切，天恩寬大，開誠布告，曲體下情，無微不至」[18]。他隨後向杭州鮑士恭、吳玉墀、汪啟淑、孫仰曾、汪汝溧等五家訪求遺書，「隨往各家訪問，曲為開導」。所上奏摺曰：「鮑士恭等俱能仰承德意，僉稱：際此盛朝曠典，歡洽儒林，莫不踴躍爭先，情願呈獻，以供石渠之選。」[19]又一折稱：「茲據鮑士恭、吳玉墀、汪啟淑、孫仰曾、汪汝溧等呈稱：士恭等生逢盛世，家守遺經，恭蒙我皇上稽古右文，特下求書之令，恩綸渙布，藝苑歡騰。竊願以私篋所藏，上充秘府，芹曝之獻，實出至誠。謹將書目開呈，伏祈恭進。」[20]藏書家們果然如乾隆預測的一樣「無不踴躍從事」[21]。從得到聖諭肯定的歡欣表現到呈進書籍時的謙恭姿態，這種行為是前後一致的。

面對乾隆皇帝的賜書、題詩、錄名等褒獎，藏書家更表現出欣喜異常，感歎皇恩浩蕩。皇帝頒賜的書籍《古今圖書集成》是一部舉世罕見的大型類書，為編六，為典三十二，為卷則一萬之多，有費一萬六千兩銀子購買該書的記載。[22]乾隆帝稱該書「全部兼收並錄，極方冊之大觀」[23]，他在乾隆三十九年（1774），曾賜予朝廷要員大學士舒赫德、于敏中，尚書劉墉各一部。[24]清末的劉聲木指出，該書「漢人

---

18 中國第一歷史檔案館編：《纂修四庫全書檔案》，53〈浙江巡撫三寶奏查訪范氏天一閣等藏書情形折〉，頁89。

19 中國第一歷史檔案館編：《纂修四庫全書檔案》，53〈浙江巡撫三寶奏查訪范氏天一閣等藏書情形折〉，頁90。

20 中國第一歷史檔案館編：《纂修四庫全書檔案》，59〈浙江巡撫三寶奏鮑士恭等五家呈獻遺書等事折〉，頁97。

21 中國第一歷史檔案館編：《纂修四庫全書檔案》，53〈浙江巡撫三寶奏查訪范氏天一閣等藏書情形折〉，頁89。

22 （清）文廷式著，汪叔子編：《文廷式集》（北京：中華書局，2018年），卷8，筆記上，《聞塵偶記》，頁1106。

23 中國第一歷史檔案館編：《纂修四庫全書檔案》，1〈諭內閣著直省督撫學政購訪遺書〉，頁1。

24 佚名撰，王鍾翰點校：《清史列傳》，卷18，〈劉統勳〉，頁1397。

受賜者，海內不過數家」[25]。因此，江浙藏書家得到《古今圖書集成》，都表現出了相當程度的重視。兩淮馬裕家得到《古今圖書集成》後，將書籍分裝在十個櫃子、五百二十個書匣之中，供奉在正廳。[26] 鮑廷博拜受此書，辟堂三楹，將《古今圖書集成》分藏於四個大書櫥中，並為其書齋命名曰「賜書堂」，刻一藏書印曰「老屋三間、賜書萬卷」[27]。范懋柱則將《古今圖書集成》置於「寶書樓」的五座書櫥中，居中的書櫥雕刻雙龍，另外四座書櫥環繞矗立，分別題以「日、月、星、辰」編號，使人一見倍感莊重。此外，藏書家對於皇帝題詩之書無不重視。鮑廷博在乾隆四十一年（1776）啟動《知不足齋叢書》刊刻工作時，不僅將乾隆題詩的《御題唐闕史》收入其中，列為首帙，而且將乾隆御製詩刻於卷首以示恩榮。壽松堂孫氏也將得到乾隆御題的宋本《乾道臨安志》重刊行世。

乾隆帝於江浙設立三閣，不少藏書家借此得以閱覽、抄錄閣書，校訂、補益私藏，助力學術研究。鮑廷博就曾在乾隆六十年（1795）七月二十四、八月初四、八月初五日多次到文瀾閣觀書，他的藏書中有《溪堂集》、《蒙隱集》、《老圃集》、《彝齋文編》、《泠然詩集》等多部典籍是利用文瀾閣藏本校勘的。[28] 道光十五年（1835），金山錢熙祚、錢熙泰、張文虎等人到文瀾閣閱覽《四庫全書》。錢氏一行校書活動始於十月二十日，止於十一月十九日，共校書八十餘種，抄書六

---

25 劉聲木撰，劉篤齡點校：《萇楚齋五筆》（北京：中華書局，1998年），卷3，《張廷玉言古今圖書集成》，頁946。

26 （清）李斗撰，汪北平、塗雨公點校：《揚州畫舫錄》（北京：中華書局，1980年），頁89。

27 （清）葉昌熾著，王鍔、伏亞鵬點校：《藏書紀事詩》（北京：北京燕山出版社，2008年），頁411。

28 （清）鮑廷博撰，周生傑、李秋華輯：《鮑廷博題跋集》，頁149、213、215、256。

十一種。[29]因南三閣之設便利了江浙學人就閣讀書，江浙學人對此多有讚頌之聲，方志、詩文論及此事者極多，湖州學者孫燮稱此乃「千古藝林之盛事」[30]，朱筠弟子李威甚至形容南三閣設立的影響曰：「天祿、石渠之秘笈，幾至家有其書。」[31]時任浙江學政的阮元則代述「東南學人歡忻感激」之情曰：「欽惟我皇上稽古右文，恩教稠疊。乾隆四十七年，《四庫全書》告成。特命如內廷四閣所藏，繕寫全冊，建三閣於江浙兩省。諭令士子願讀中秘書者，就閣廣為傳寫，所以嘉惠藝林，恩至渥、教至周也。……每見江淮士人瞻閱二閣，感恩被教，忻幸難名。」[32]姚文田等纂修的《嘉慶揚州府志》打破體例，在卷一《巡幸志》〈恩綸〉中登載了乾隆四十七年七月初八日、四十九年二月二十一日、五十五年五月二十五日等三則有關頒賜書籍的諭旨，並解釋道：「揚州天寧寺大觀堂，向曾貯欽頒《古今圖書集成》一部。乾隆四十七年，復命將《四庫全書》繕寫一部，分庋於文匯閣，以光文治。此旨並乾隆五十五年諭旨，雖非南巡時所頒，但為津逮藝林而論，俾稽古之士，獲睹美富，殫見洽聞，洵生其間者之幸也。特恭載，以紀文思之光被云。」[33]將揚州文匯閣之設，譽為「生其間者之幸」。可見南三閣之設，在整個江浙社會上產生了轟動效應。

29　（清）張文虎：《湖樓校書記》，《清代詩文集彙編》（上海：上海古籍出版社，2010年），第630冊，頁603-608。

30　（清）孫燮：《補讀書齋集》，南開大學圖書館編，江曉敏主編：《南開大學圖書館藏稀見清人別集叢刊》（桂林：廣西師範大學出版社，2010年），第18冊，頁472。

31　（清）李威：《從遊記》，錢儀吉纂，靳斯校點：《碑傳集》（北京：中華書局，1993年），卷49，頁1388。

32　（清）阮元：《阮元附記》，永瑢等：《四庫全書總目》，頁1837。

33　（清）阿克當阿修、姚文田等纂：《（嘉慶）重修揚州府志》（揚州：廣陵書社，2012年），頁61-62。

三 嘉獎對藏書家藏書心態的影響

為了推動《四庫全書》的徵書和編纂工作，擴大《四庫全書》的影響，乾隆皇帝針對江浙藏書家頒布了一系列的嘉獎舉措，得到了藏書家的積極回應。不僅如此，嘉獎舉措還對藏書家的藏書心態產生一定影響，從而引發長遠的社會效應。

第一，對於受到嘉獎的藏書家本人而言，官方表彰提升了藏書家的獲得感和自豪感。因為編修《四庫全書》需要，書籍收藏受到前所未有的重視和提倡。大多數藏書家都是社會中的普通人，或經營致富而積書，或為治學所需而聚書，或為欣賞典籍而藏書，一旦因獻書獲得來自皇帝的褒獎，不但使本人聲名遠播、名垂青史，甚至為整個家族乃至家鄉帶來榮光。有學者稱「這是歷代藏書家從未享受過的殊榮，也是藏書家社會地位達到歷史頂峰的標誌」。[34]鮑廷博就是典型的案例。乾隆三十八年（1773），正值知不足齋藏書事業發展的興盛時段，鮑廷博卻屢屢發出「薄弱」之感，他經過梳理《咸淳臨安志》的遞藏源流發出感慨曰：「嗟乎！聚書、藏書良非易事，即如泰興季氏、花山馬氏、桐鄉汪氏、武林趙氏、王氏，以及健庵、江邨之富且貴焉，而此書不數十年間屢易其主，若傳舍然。況以余之薄弱，其能長守而弗失乎？」[35]他認為收聚保藏書籍受到眾多社會因素的複合影響，聚書隔代而散者尤多，即便如泰興季振宜、花山馬思贊、桐鄉汪森、武林趙昱、王德溥、徐乾學、高士奇等顯貴，也難使書籍長守一家。尤其是季振宜歷官戶部員外郎、郎中，廣西、浙江道御史，季家又兼營鹽業；徐乾學官至刑部尚書，高士奇官至禮部侍郎。這樣的社

---

34 肖東發、袁逸：〈略論中國古代官府藏書與私家藏書〉，《圖書情報知識》1999年第1期。

35 （清）鮑廷博撰，周生傑、季秋華輯：《鮑廷博題跋集》，頁189。

會地位使他們在書籍收藏中擁有得天獨厚的優勢，季振宜就曾斥鉅資購進汲古閣珍藏秘本數百部，轟動一時。相比之下，鮑氏早年兩應省試不售，遂絕意進取，並無一官半職。因此，當他察覺《咸淳臨安志》一書如傳舍一般輾轉流傳時，就會自然地產生身世薄弱的情感。

但是，藉由纂修《四庫全書》徵書的機緣，鮑廷博向朝廷進獻書籍六、七百種，獲得官方讚賞，成為一方名士。鮑氏不僅獲得乾隆皇帝題詩，御賜《古今圖書集成》，而且在八十五歲時得嘉慶皇帝恩賞舉人，被視為藝林勝事。吳騫稱其「草莽之臣，邀蒙天獎」[36]，吳翌鳳則說「儒生榮遇，千載一時」[37]。主持風會數十年的學林領袖阮元評價鮑氏「疊膺兩朝異數，褒獎彌隆」、「以進書受知，名聞當世」[38]。鮑廷博因書籍收藏獲得朝廷嘉獎，不僅使其收藏書籍的志向更為堅定，而且激發了他刊布書籍的意願。他說：「諸生無可報稱，惟有多刊善本，公諸海內，使承學之士，得所觀摩。」[39]鮑廷博考慮到「秘閣所儲，人罕得見，登之梨棗，益廣其傳」[40]，故接連刊布《知不足齋叢書》二十餘輯，刊刻書籍達兩百餘種，享譽一時。鮑氏刊刻《知不足齋叢書》時四處覓求善本，延聘盧文弨、顧廣圻、朱文藻等名家精校，為此投入大量精力與財力，這不能說與他受到最高統治者屢次褒獎的心靈激勵毫無關係。

第二，對藏書家後人來說，先輩曾獲得朝廷恩賞的家族榮譽感是

36　（清）吳騫：《閒居錄題跋》，（元）吾丘衍著，金少華點校：《閒居錄》（杭州：浙江古籍出版社，2019年），頁24。

37　（清）吳翌鳳撰，吳格點校：《遜志堂雜鈔》（北京：中華書局，2006年），庚集，頁99。

38　（清）阮元撰，鄧經元點校：《揅經室集》（北京：中華書局，1993年），集2，卷5，〈知不足齋鮑君傳〉，頁494。

39　支偉成：《清代樸學大師列傳》（長沙：岳麓書社，1998年），頁287。

40　（清）鮑廷博撰，周生傑、季秋華輯：《鮑廷博題跋集》，頁206。

他們承續收藏事業，保守家藏的精神動力。范懋柱長孫范邦甸在嘉慶年間編纂了《天一閣書目》。該書在序言之後全文登載乾隆皇帝徵書、賜書的諭旨，而諭旨中不乏對天一閣范氏的讚賞。[41]並且，該書目在經史子集四部書籍之前，先列「御賜書」、「御題書」、「御賜圖」、「進呈書」四類書籍。「御賜書」即「乾隆三十九年御賜《古今圖書集成》一萬卷」，提要中著錄了雍正皇帝的《古今圖書集成序》及《集成》六編三十二典的各典名稱和卷數。「御題書」即朝廷發還的魏了翁《周易要義》和馬總《意林》二書，提要著錄了乾隆題寫的詩作全文。「御賜圖」即「平定回回得勝圖」十六幅和「平定兩金川戰圖」十二幅，書目中著錄了二十八幅圖各圖的名稱。「進呈書」即范氏進呈的六百九十六種書籍，書目對每種書籍均著錄書名、冊數或卷數。[42]《天一閣書目》此部分內容突破了按照經史子集之順序依次著錄四部書籍的藩籬，是以獻書目錄和賜書目錄之編纂，展示修撰《四庫全書》過程中寧波范氏的卓越貢獻以及乾隆皇帝對范氏的贊許，充分彰顯著范氏族人的自豪和榮光。這種家族榮譽感也是乾隆年間以後，范氏族人繼續保守藏書的動力之一。道光十二年（1832），時任浙江學政何淩漢攜其子何紹基、學生許瀚登臨天一閣，為范氏題寫「天章特獎圖書富，世澤長期子孫賢」一聯[43]，稱譽范氏因獻書而蒙皇帝恩賞，家風承傳、人才輩出，就迎合了范氏族人的期許。

　　即便家族藏書因為各種原因而流散，先輩曾獲得皇帝恩賞的榮譽感還促使藏書家後人孜孜不倦地網羅舊藏，或圖恢復往日榮光。根據壽松堂後人孫峻的說法，壽松堂藏書多山陰祁氏澹生堂舊藏，藏書之盛，埒於同郡振綺堂、知不足齋諸家。不幸的是，壽松堂藏書在咸豐

41　（清）范邦甸等撰，江曦、李婧點校：《天一閣書目》，頁12-16。

42　（清）范邦甸等撰，江曦、李婧點校：《天一閣書目》，頁17-51。

43　龔烈沸纂輯：《天一閣詩輯》（寧波：寧波出版社，2019年），頁196。

十一年（1861）太平軍進軍杭州時遭遇劫難盡付雲煙。故他未能獲睹先世藏書之珍秘，只在其父孫炳奎的敘述中窺見一二。因此孫峻對壽松堂藏書始終牽縈於心，「抱殘守闕，無以復先世之所藏」的感懷就頗能顯露其心跡。[44] 孫峻早年曾獲殿本《四庫全書總目》，他特地將其中壽松堂獻書一一摘出，錄成厚冊，置於案頭。孫炳奎、孫峻父子還曾重刊乾隆發還壽松堂的《乾道臨安志》一書[45]，此舉被譽為「善守清門，護藏世寶」[46]。孫峻回顧其家藏書獻書的歷史成績說：「先世藏書頗夥。峻六世祖景高公曾舉家藏善本進呈四庫，疊邀純廟褒錫；而先人精鈔墨本，亦累世有之。」[47] 家族藏書、獻書的成績構建了孫氏後人的社會文化地位。此時，孫氏父子多為八千卷樓校刻群書、編刊書目，故與杭州藏書大家丁丙交好。歌詠壽松堂藏書、獻書的光輝事蹟，讚揚孫炳奎父子承繼舊業、不墜家聲的精神信念是丁丙與孫氏父子詩文酬唱的重要主題。丁丙所論「由來宋槧已難得，何況先世之所儲？即教手澤偶然保，何況天賜之所餘？」、「壽松堂古松煙壽，珍重兒孫百世耕」、「我訪君家舊喬木，文光寶氣漾如虹」[48]。既是對孫氏父子挽救走向沒落的壽松堂藏書事業的表彰，又點明了孫炳奎、孫峻

44　（清）孫峻：〈敘〉，（清）丁立中編，曹海花點校：《八千卷樓書目》（杭州：浙江古籍出版社，2016年），頁1807。

45　丁丙〈孫氏〈歸書圖〉歌〉曰：「去年龍集又甲午，乾道舊志重雕摹。」詩注：「去歲仁甫明經重雕《臨安志》，甲子兩周矣。」王國平主編，周膺、吳晶輯校：《西溪文獻集成》（杭州：杭州出版社，2015年），第3冊，頁445。

46　（清）丁丙：〈跋涪翁書〈開堂疏〉〉，王國平主編，周膺、吳晶輯校：《西溪文獻集成》，第3冊〈松夢寮文集〉，卷中，頁279。

47　（清）孫峻：《〈婦人集〉題跋》（浙江圖書館藏壽松堂抄本）。轉引自石祥：〈晚清藏書家丁丙與壽松堂孫氏交遊考〉，《圖書情報工作》2011年增刊。

48　（清）丁丙：《松夢寮詩稿》，卷5〈虹橋版詩見於〈頻羅庵集〉，〈隨園〉亦曾記其事。小除夕仁甫忽購之，喜為賦此〉，卷6〈溫公澄泥硯，為仁甫作〉、〈孫氏〈歸書圖〉歌〉，王國平主編，周膺、吳晶輯校：《西溪文獻集成》，第3冊，頁439、441、446。

繼續從事收藏事業的現實動力。訪得壽松堂舊藏、乾隆題詩發還的
《新刊名臣碑傳琬琰之集》後，孫氏父子請陳豪繪製《歲暮歸書
圖》，遍邀丁丙、吳士鑑、俞樾、譚獻等名流題詠。俞樾題辭曰：「武
林孫氏推名宅，故家不僅森喬木。九十萬卷舊收藏，富敵石渠與天
祿。四庫館啟乾隆年，詔求遺籍窮埃堓。君家進書最夥夠，至今著錄
存文淵。中有名臣琬琰集，宋紹熙年杜氏輯。密行細字色黝然，百七
卷書猶宋刻。蘭臺天祿仍封還，玉堂巨印何斒斕。」[49]譚獻《題歲暮
歸書圖》則稱許道：「儒流有家法，積書遺子孫。枕經綿世澤，棄葉
此清門。無何遘塵劫，過眼同煙雲。良金與美玉，往往摧為薪。吾鄉
孫氏賢，毓德涵天真。亂定且繕完，抱櫝還勤辛。先世達中秘，目錄
久猶新。守闕方求補，誠至若通神。得之抵千百，馨香祀長恩。」[50]、
「君家進書最夥夠，至今著錄存文淵」、「先世達中秘，目錄久猶新」
等詩句頌讚的重心，迎合了孫炳奎父子頌揚壽松堂往日榮耀、承繼先
輩藏書事業的期許，而這也構成了孫氏父子矢志不渝地搜羅先輩舊
藏的精神動力。

　　第三，表彰嘉獎在整個藏書界樹立了可供效仿的榜樣，引發羨慕
之情。尤其是《古今圖書集成》一書卷帙浩繁，流通不廣，被學者稱
為「人間罕見之秘笈」[51]，江浙士人對得賜《古今圖書集成》之家無
不欽慕。丁丙稱汪啟淑「進呈六百餘種，恩賞《古今圖書集成》一
部，士林榮之」[52]。張鑑則說：「吾朝始開四庫之館，詔中外訪求遺書

49 （清）俞樾：《〈歲暮歸書圖〉為孫仁甫明經題》，俞樾著，趙一生主編：《俞樾全
　　集》（杭州：浙江古籍出版社，2017年），第17冊，〈春在堂詩編十五〉，頁450-451。
50 （清）譚獻撰，羅仲鼎、俞浼萍點校：《譚獻集》（杭州：浙江古籍出版社，2012
　　年），頁610。
51 （清）朱文藻：《碑錄二種》（國家圖書館藏抄本）。
52 （清）丁丙著，曹海花點校：《善本書室藏書志》（杭州：浙江古籍出版社，2016
　　年），頁50。

所在。若浙鮑氏、范氏、汪氏，揚馬氏，進至六七百種，首蒙《圖書集成》之賜，洵難邁之榮也。」[53]寧波藏書家抱經樓盧址處處以天一閣為模範，他曾說：「吾鄉之善聚書者，首稱范氏天一閣，嘗愛其取之精而藏之久。」[54]盧址慕同里天一閣范氏得《古今圖書集成》之賜，斥鉅資遣人至京師購得《古今圖書集成》底本。書到之日，整齊衣冠以迎之。[55]這充分說明乾隆賜書等嘉賞舉措在藏書界造成的空前影響。

　　進一步說，楮墨精雅的家藏善本不僅是藏書家心頭所愛，也是維持其從事文化活動的資本，是構成藏書家社會地位的重要元素，因而藏書家無不對流散書籍持有十分之警惕。但是，進獻書籍非同普通的書籍流散，對許多藏書家來說，「進獻」或曰「失去」部分藏書以換取「天恩特獎」式的回報，反而是孜孜追求的夢想。嘉道年間，上海藏書家李筠嘉曾多次向友人表示未能像范懋柱、汪啟淑等人一樣獲得機緣向朝廷進獻藏書，「遭逢睿獎」十分遺憾。龔自珍《慈雲樓藏書志序》記述此事云：「或謂李君生稍晚，不遇純朝開局時，獻書於朝，遭逢睿獎，如鄞范氏、歙汪氏、吾杭吳氏、鮑氏比。」[56]道光六年（1826）六月，龔自珍再次為李筠嘉寫作《上海李氏藏書志序》，又一次論及此事曰：「純皇帝開四庫，建七閣，海內之士，畢睹官簿。大江以南，士大夫風氣淵雅，則因官簿而踔為之，往往瑰特，與中朝之藏有出入者。而上海李氏，乃藏書至四千七百種，論議臚注至

53　（清）張鑑：〈秀水計氏澤存樓藏書記〉，《清代詩文集彙編》（上海：上海古籍出版社，2010年），第490冊，《冬青館集》，甲集，卷4，文一，頁553。

54　（清）盧址：《抱經樓藏書記》，陳紅彥主編：《國家圖書館藏稀見書目書志叢刊》（北京：國家圖書館出版社，2017年），頁240-241。

55　潘婷婷：〈盧址抱經樓藏書及其編目考〉，《古典文獻研究》2018年第2期。

56　（清）龔自珍著，王佩諍校：《龔自珍全集》（上海：上海古籍出版社，1999年），第3輯，〈慈雲樓藏書志序〉，頁204。

三十九萬言。承平之風烈，與鄞范氏、歙汪氏、杭州吳氏、鮑氏相輝映於八九十年之間。李君猶且恨生晚，不獲遇純皇帝朝親獻書。」[57]李筠嘉藏書達四千種之多，稱勝一時，然而卻因未能獲得鮑氏等人的機緣，「獻書於朝，遭逢睿獎」，故而多次表次惋惜遺憾。李氏藏書時距離四庫修書已有數十年，他仍然嚮往著皇帝睿獎，以圖獲得社會地位躍升和名留青史的可能，可見嘉獎舉措影響之深遠。

傅以禮嘗論及纂修《四庫全書》的影響曰：「緬昔乾隆中崇文舉典，嘉惠藝林，既以《四庫全書總目》、《簡明目錄》次第刊布，後著輯《永樂大典》中罕睹祕笈，以聚珍板印行，頒發東南五省，海內傳誦，家置一編。百餘年來，濡涵教澤，風氣益開，承學之士，莫不願讀未見書，借抄傳刻，銳志搜羅。」[58]他著重論述了《四庫全書》纂修中，《四庫全書總目》、《簡明目錄》之修撰及聚珍版書籍印行頒發對學術風氣和社會風氣的影響，這些書籍的編纂印行使得整個社會上形成了一種稽古力學、崇尚典籍的風尚。這正與乾隆皇帝推動編纂簡目、提要，抄錄閣書、刊布精品，「俾學者由書目而尋提要，由提要而得全書。嘉與海內之士，考鏡源流，用彰我朝文治之盛」的一系列舉措是分不開的。[59]同時，值得說明的是，「上有所好，下必甚之」，乾隆皇帝對書籍收藏的推重，所施行的嘉獎舉措，勢必影響藏書家的收藏心態，增強藏書家從事書籍收藏的驅動力。因此，皇帝的嘉獎舉措對藏書家收藏心態所產生的影響，也成為江浙藏書事業發展和學術隆興的一個潛層原因。

——原刊於《中國四庫學》二〇二三年第一輯

---

57 （清）龔自珍著，王佩諍校：《龔自珍全集》，第3輯，《上海李氏藏書志序》，頁202。

58 （清）傅以禮：《華延年室題跋》（上海：上海古籍出版社，2009年），頁166。

59 中國第一歷史檔案館編：《纂修四庫全書檔案》，171〈諭內閣著四庫全書處總裁等將藏書人姓名附載於各書提要末並另編〈簡明書目〉〉，頁229。

《涉江采珍錄》與許瀚的書籍消費

　　有關清代書籍價格和書籍交易的記錄很多，但大多比較零碎。山東學者許瀚的《涉江采珍錄》、《燕臺買書記》，集中記載了他在江浙和京畿等地的書籍消費情況，而且詳記所購書的書名、冊數，購書的日期、地點和價格，是不可多得的書籍史研究史料。[1]二書之中，《涉江采珍錄》所覆蓋的時間段更長，因而內容更為豐富。將《涉江采珍錄》、《燕臺買書記》兩份材料進行對比，可以發現許瀚的書籍消費具有明顯的地域差異，其背後的原因值得考察。本文即根據《涉江采珍錄》與《燕臺買書記》的對比，分析許瀚書籍消費的特點，探討書籍消費與書業發展及經濟格局之間的密切關聯。

一　許瀚其人及其《涉江采珍錄》

　　許瀚（1797-1867），字印林、元翰，號蘭若、培西，山東日照人，著名的校勘學家、金石學家、文字學家，有《韓詩外傳刊誤》、《攀古小廬文》等著作。許氏博綜經史，尤長訓詁，校宋、元、明本舊籍，「精審不減黃丕烈、顧廣圻」[2]，被龔自珍讚譽為「北方學者君

---

[1] 有學者利用《涉江采珍錄》、《燕臺買書記》考察了道光年間的碑帖價格，除此以外，尚未見到對兩份購書清單做專門研究的成果。見于芹：〈道光年間碑帖價格研究──以許瀚記錄為中心〉，《中國美術》2022年第5期。

[2] （清）趙爾巽等撰，中華書局編輯部點校：《清史稿》（北京：中華書局，1977年），卷481，〈許瀚〉，頁13231。

第一,江左所聞君畢聞」[3]。其父許致和(1770-1854),字賡堂,長於經學,許瀚受家學浸潤,精古文音韻。嘉慶二十年(1815),許瀚以科試第一補為州學生員。道光五年(1825),許瀚受山東學政何凌漢賞識,拔貢赴京。自此許瀚寓居京師五、六年,與何凌漢子何紹基交好,向王引之等著名學者問學請益。道光七年(1827),許瀚考充武英殿校錄,參纂《康熙字典》,歷時四年,得授修職郎,議敘六品州同銜。道光十一年(1831),何凌漢出任浙江學政,許瀚應邀隨何凌漢前往杭州學署,為其閱文勘書。在浙江期間,許瀚到嘉興、寧波等多地輾轉遊覽。校文之餘,購求圖籍,並錄為《涉江采珍錄》。此後,許瀚屢應浙江學政陳用光、順天學政吳文鎔、潘錫恩等官員聘請,襄助校文刊書。在京畿閱文期間,他將購書記錄匯總為《燕臺買書記》。許瀚熱衷於購書訪碑,並在日記中留下了豐富記錄,他自稱「一生到處訪碑購書,舟車南北,客囊稍有餘羨,罔不汲汲於此,即略無餘羨,省食典衣,亦樂為之。甚至為明智所竊笑,妻孥所怨恨,而不能自已」[4]。從其購書記錄來看,許瀚藏書應達數萬卷,曾整理編目為《攀古小廬書目》和《丙午九月南去添帶書目》,惜其藏書在戰亂中化為灰燼。[5]

相對於日記中對書籍消費的零散記載,《涉江采珍錄》、《燕臺買書記》是許瀚對於購書情況更為集中、細緻的記錄。其中,《涉江采珍錄》記載的是許瀚在道光十一年(1831)十二月至道光十四年

---

3 (清)龔自珍撰,劉逸生注:《龔自珍己亥雜詩注》(北京:中華書局,1980年),40,頁53。

4 (清)許瀚:〈與楊石卿書〉,許瀚著,曹漢華、曹雙輯校:《攀古小廬文集》(濟南:齊魯書社,2022年),頁62-63。

5 楊鐸〈許印林先生傳〉曰:「『賊』北入登萊,穿東境,越日照,十月又至,先生所藏書籍碑版俱化煨燼。」,收於袁行雲:《許瀚年譜》(濟南:齊魯書社,1983年),頁382。

（1834）六月，於杭州學署及江浙各地的書籍、金石購買情況。該書
上卷記書籍，下卷記金石碑帖，所記項目略舉數例如下：

> 仿宋《韓非子》二十卷附顧廣圻《識誤》三卷，四冊。辛卯
> 臘，二十八日，蘇州閭門買。京錢千文。
> 《陸注爾雅新義》，二十卷，四冊。四月十九日，杭，城隍山
> 買，京錢一千四百。
> 《讀韓記疑》，十卷，二冊，送子貞。五月初八日，嘉興鑑古
> 堂買，共洋錢四元。
> 《讀書敏求記》，二冊，原本。五月二十六日，湖州博古堂
> 買，京錢百四十。[6]

可見《涉江采珍錄》主要登記版本、書名、卷數、冊數，購書時
間、地點及價格等項目。有些書籍的著錄還備註了用途，如「送亮
生」、「送子貞」，或備註裝潢書籍的工費等等。根據《涉江采珍錄》
的記載，可以大致統計出許瀚在道光十二年、十三年兩整年的購書情
況。其在道光十二年（1832）的購書情況詳見下表：[7]

6　（清）許瀚著，崔巍整理：《許瀚日記》（石家莊：河北教育出版社，2001年），頁1-
9。
7　（清）許瀚著，崔巍整理：《許瀚日記》，頁1-12。

表一　許瀚道光十二年購書詳情

時間	購書地點	花費	購書數量	備　註
1月23日	杭州學署	洋元四元二角	4種：《管子》24卷、《爾雅正義》20卷、《初學記》30卷、《釋名》8卷	
2月20日	四明（寧波鄞縣）清照樓書肆	洋錢一元	4種：《讀畫齋叢書》8冊、《鄭注論語》2部、《爾雅補郭》2部、《吳郡圖經續記》	《論語》1部、《爾雅》1部、《吳郡》送吳縣王流
2月20日	四明清照樓	洋錢一元，京錢二百八十	4種：《論語疏》24卷、《杭氏七種》4冊、《稽古堂日鈔》4冊、《書經蔡傳》	《書經蔡傳》送何紹基
4月15日	紹興遺經堂	洋錢三元	5種：《春秋經傳集解》30卷、《一切經音義》26卷、《經訓堂叢書》、《禮經宮室答問》2卷、《漢魏叢書》殘本	
4月20日	城隍山	洋錢二元	10種：《四庫書簡明目》20卷、鮑刻《四庫書》10卷、《毛詩故訓傳》30卷、《陸注爾雅新義》20卷、《爾雅》、《秘冊匯函本周易集解》、《毛詩草木疏》2卷、《多識編》7卷、《切韻考》4卷、《毛詩古音考》4卷	

時間	購書地點	花費	購書數量	備 註
5月8日	嘉興鑑古堂	洋錢四元	14種：秦板《九經》8冊、《公羊傳》28卷、《公羊》《穀梁傳》、《經義雜記》30卷、《七緯》38卷、《拾雅》20卷、《禮緯含文嘉》3卷、《郡齋讀書志》20卷、《古文苑》9卷、《虞氏易》9卷、《孔子集語》1卷、《隸續》21卷、《二俊集》20卷、《讀韓記疑》10卷	《公羊》、《穀梁傳》送新化晏啟林、《讀韓記疑》送何紹基
5月9日	湖州博古堂	洋錢一元	3種：《急就篇注》4卷、《漢魏詩紀》20卷、《四書考異》12冊	《漢魏詩紀》6冊改4冊，改裝費120文
5月26日	湖州博古堂	京錢一百四十	1種：《讀書敏求記》2冊	
5月27日	寶經堂	洋錢十八元	11種：《史記》130卷、《潛夫論》10卷、《韓集考異》10卷、《穀梁》20卷、《柳集》43卷、《事類賦》30卷、《唐十家詩集》12冊、《論語古訓》10卷、《錢氏鐵卷金塗塔考》1冊、《七經孟子考文》24冊、《四錄堂類集》4冊	

時間	購書地點	花費	購書數量	備　註
5月27日	寶經堂	洋錢一元四角	4種:《韓詩外傳批註》10卷、《尚書大傳》2冊、《論語古訓》2冊、《泉河史》5冊	《尚書大傳》2冊改裝1冊,費京錢40。《論語古訓》2冊改1冊,費京錢60,帶回家
5月27日	寶經堂	洋錢三角	2種:《說文聲系》2冊、《鄭注爾雅》三卷	
7月11日	城隍山集古齋	洋二元三角	1種:《抱經堂叢書》13種22冊	
7月18日	太平坊懷德堂	京錢八百	3種:《焦氏易林》4卷、《禹貢詳略》2卷、《毛詩證讀》4卷	
8月10日	懷德堂		2種:《詩紀匡謬》1卷、《傅子》1卷	懷德堂送
8月24日	行宮東同文書棧	洋錢一元	3種:《省吾堂匯刻》4種10冊、《鄭氏遺書》5種2冊、《鄭司農年譜》1卷	
9月1日	吳山寓賞樓	京錢一百五十	1種:《尚書隸古定釋文》8卷	
9月6日	吳山寓賞樓	京錢二百八十	2種:《六書例解》1卷、《詩經序論》2卷	《詩經序論》寄回家
9月17日	吳山二酉堂	京錢二千四百	3種:《事類賦》30卷、《神農本草經》3卷、《尚書古文疏證》8卷	《事類賦》送浙江學政陳用光

時間	購書地點	花費	購書數量	備　註
9月27日	寶書堂	洋元半	1種：《音學五書》16冊	
11月6日	金華棚裕文堂（紹興鋪）	洋錢一元	4種：《毛詩異義》4卷、《崇文總目》5卷、《焦氏類林》8卷、《尹和靖集》10卷	
11月6日	金華棚涵古堂（杭州鋪）	京錢六百	2種：《吳校釋名》8卷、《佩文廣韻彙編》5卷	《吳校釋名》送何紹基，《佩文廣韻彙編》帶回家
12月3日	衢州棚敬藝堂（紹興鋪）	洋錢三元	4種：《水經注》16冊、《劄樸》10卷、《樊氏孟子注疏解經》10冊、《淩氏叢書》6種	《樊氏孟子注疏解經》送何紹基，《淩氏叢書》裝訂220文，書套240文
12月29日	寶書堂	洋錢二元	2種：《經籍纂詁》44冊、《元本藝文志考證》10卷	
12月29日	二酉堂	洋錢一元、京錢二百文	3種：《畢刻呂氏春秋》26卷、《顧刻烈女傳》8卷、《鄭學尚書鄭注》10卷	

　　道光十二年（1832），許瀚共在浙江杭州、寧波、湖州、台州、溫州、紹興各地購書二十餘次，得九十餘種。次年，許瀚在杭州、湖州、紹興、揚州等地購書十餘次，購書近六十種。在這兩年，許瀚購

書的總數約為一百五十種，其中還有多部叢書。整體來看，此期許瀚的書籍消費呈現出幾個特徵：第一，許瀚購買的書籍，多為新刻本，宋元舊刻極少；第二，許瀚購買的書籍，價格一般不高；第三，許瀚在浙江幾年間，集中購買了大量書籍，其中包括一些常用的經史要籍；第四，購書的品種與閱讀興趣和研究需要相關，基本符合「為讀而購」的特點。

上述消費特點的形成，與許瀚的收入水平有直接關係。許瀚雖出身書香門第，但許致和、許瀚父子二人均以遊幕為生，收入不高。許致和三十四歲起即開始處館教書，多年來在山東日照水木村、高家村、夏家溝等地輾轉作塾師。許瀚七八歲時，母親過世，因此許家渡過了一段頗為艱難的時間。許瀚本人亦久困場屋，科舉仕進屢經坎坷，四方奔波，遊幕坐館，襄助各地官員閱卷校文、在各地書院修書執教是其生活的常態。生活本不寬裕，他還常常需要將修金寄到家中，供父親及諸弟所需。咸豐三年（1853）是許瀚任滕縣訓導的次年，他仍面臨窘迫的經濟局面，故而發出感慨說：「債負日積，東扯西補，不知作何究竟，而依舊儋石無儲也，奈之何哉！」[8] 可見他在晚年因大挑二等得以就任滕縣訓導以後，因處閒曹冷局，經濟處境亦未明顯改善。

道光十五年（1835），許瀚自浙江北歸參加會試。然會試報罷，之後他轉入順天學政潘錫恩幕府，襄助批閱試卷。道光十六年（1836）是其現存日記完整記事的首年，這一年許瀚的收入水平同兩三年前在浙江遊幕時差別不會過大。許氏日記對日常支出的款項有詳細的記錄，從出行雇車、置辦節禮、乃至洗衣剃頭，幾乎每一筆微末的消費，許瀚均要將其記於筆端。以這一年許瀚的日常消費來看，他在京

8　（清）許瀚著，崔巍整理：《許瀚日記》，頁322。

的生活較為拮据。如他記錄出行雇車一項，正月初二花費四百八十文，初三費六百五十文，初六費一千五百二十文，初八費二百一十文。[9]這些瑣碎的消費清單充斥著許瀚日記。這反映出當時的許瀚確實收入不高，故對日常開銷十分敏感。這一點也可以從許瀚該年內多次向友人借款得到印證。二月二十一日，許瀚向何紹基借銀三十兩。五月初二日，許瀚又向莊二借銀一錠九兩四錢。[10]就消費結構而言，衣食住行等基本開銷佔據了許瀚日常消費的主要部分，其在文化活動等方面的支出主要是購買書籍、碑帖等。

因此，以許瀚的家庭出身和當下收入，很難像出於富商之家的藏書家一樣購求宋元舊刻、名家舊藏。這就為許瀚購買的書籍大部分是通行的新刻本提供了經濟上的解釋。儘管他的藏書中有少量的元明刻本，但價格並不高。如他曾以六百文的價格購買元版《通鑑續編》半部。[11]此外，他所買的書籍中，還有不少是不全之本。四月十五日在紹興遺經堂買《漢魏叢書》殘本，《賈子新書》殘本。七月十一日在城隍山集古齋所買《抱經堂叢書》共十三種，較全書少五種。他在台州紫陽宮側購買的《水經注釋地》殘本、《黃刻水經注》殘本，「兩本合，尚少十六、七、八三卷」。一般殘本的價格是較為低廉的，《水經注》殘本兩種與他同日所買的《劉直洲集》殘本，一共花費才四百四十文錢。[12]

9　（清）許瀚著，崔巍整理：《許瀚日記》，頁57。

10　（清）許瀚著，崔巍整理：《許瀚日記》，頁62-63、68。

11　（清）許瀚著，崔巍整理：《許瀚日記》，頁184。

12　（清）許瀚著，崔巍整理：《許瀚日記》，頁21。

二　許瀚書籍消費的地域特點

據《涉江采珍錄》統計，在浙江的兩年七個月，許瀚購書的數量達到二百餘種。與許瀚同年出生，職業相近的海寧友人管庭芬，在六十餘年間購買的書籍一共才二百零七種[13]，不及許瀚兩年七個月購書的數量。參照上文對許瀚購買能力的分析，許瀚在浙江購書較多，並非因為他富有資財。許瀚還有一部《燕臺買書記》，與《涉江采珍錄》體例類似，記載的是道光十四年（1834）十月至道光十六年（1836）四月許瀚在北京、天津、河間、大名等地買書的情況，具體列為下表：[14]

表二　《燕臺買書記》所載許瀚購書情況

時間	購書地點	花費	購書數量	備註
1834年10月6日	琉璃廠西門	京錢一千六百六十文	4種：《周易乾鑿度》2卷、《戴東原文集》10卷、《楚辭》10卷、《九經三傳沿革例》1冊	
10月28日	經述堂	京錢一千文	2種：《左傳》殘本、《尚書大傳》1冊	
1835年2月13日	大名府	六百文	1種：《朱子或問》10冊	
閏6月13	鐵門	一百文	4種：元刻《詩考補》1卷、《趙東山集》6卷、《諸子鴻藻》殘本、《蒲庵集》殘本	

---

13 徐雁平：〈《管庭芬日記》與道咸兩朝江南書籍社會〉，《文獻》2014年第6期。

14 （清）許瀚著，崔巍整理：《許瀚日記》，頁46-50。

時間	購書地點	花費	購書數量	備註
		京錢十五千	2種：宋本初印《撫庫禮記釋文》4冊、《曹刻司馬類編》12冊	由浙寄來
閏6月16日	琉璃廠	京錢五十文	1種：《安丘鄉賢小傳》	
閏6月26日	琉璃廠	一千文	6種：《商子》5卷、《吳越春秋》6卷、《越絕書》15卷、《說苑》20卷、《鹽鐵論》12卷、《王稚登集》稿本3冊	
		京錢八千	1種：《十三經校勘記》	何紹京代買
9月2日	琉璃廠東門	京錢六十	1種：《聲韻考》4卷	
11月20日	河間府	京錢一千四百文	2種：明仿元刻袖珍《禮記》10冊、山曉閣《唐宋八家文》	
12月16日	天津鼓樓西	京錢一千	1種：《秦板九經》2套	
	天津東門外	三百二十文	2種：《論語說》、《聲調譜》	
1836年1月13、14日	琉璃廠寶意林	九百二十文	6種：《孔子家語》、《集語》、《留耕堂詩》、《棲雲閣詩》、《西溪遺詩》、《畢氏兩世詩》	
1月13日	火神廟	京錢七百文	3種：抄宋本《晏子春秋》、抄《石刻補敘》、《焦山鼎銘》	
	貴學堂	京錢七百文	1種：《周禮鄭注疏》8本	
3月4日		京錢六十	1種：《殷芸小說》1本	

時間	購書地點	花費	購書數量	備註
4月30日	廠西門	京錢三百文	1種：《明十六科進士錄》4本	

依照《燕臺買書記》所載，一年七個月內，許瀚在北方各地買書的數量為三十餘種。即便考慮到消費需求的降低，這一數值也遠遠低於許瀚在江浙的書籍消費量。而且，許瀚在京畿的書籍消費明顯不如在江浙積極。《燕臺買書記》中最大一筆的書籍消費為購買宋本初印《撫庫禮記釋文》四冊、《曹刻司馬類編》十二冊，耗資京錢十五千，備註為「由浙寄來」[15]。從道光十一年到道光十六年，許瀚服務的幕主從浙江學政何凌漢轉為浙江學政吳用光、順天學政潘錫恩，他的職業仍然是學政幕僚，收入水平的波動不至於過大。同此後多年許瀚日記零星的購書記錄比較，可以發現許瀚在浙江遊幕期間，有特意採購書籍的特點。

根據《涉江采珍錄》所記，許瀚在道光十一年到十四年數年間因隨學政校文，輾轉到訪的城市有浙江杭州、寧波、紹興、嘉興、湖州、台州、溫州，因旅途短暫停留則有蘇州、揚州。每到一地，他都要到書肆采買書籍，僅道光十二年，許瀚在浙江到訪的購書之所就有「杭州學署」、「四明清照樓書肆」、「紹興遺經堂」、「城隍山」、「嘉興鑑古堂」、「湖州博古堂」、「寶經堂」、「城隍山集古齋」、「太平坊懷德堂」、「行宮東同文書棧」、「吳山寓賞樓」、「吳山二酉堂」、「寶書堂」、「金華棚裕文堂（紹興鋪）」、「金華棚涵古堂（杭州鋪）」、「衢州棚敬藝堂（紹興鋪）」等數處。在北方各地，許瀚以在北京購書為

---

15 據相關研究，京錢來源於康熙朝七分小錢，主要在京師、直隸、山東地區流行，和制錢保持二比一的折算關係，與白銀折算的官定比例在二千比一左右。參見呂長全：〈清代京錢考論〉，《史學月刊》2022年第1期。

主。其中僅有三次是在京外購書，分別是河間、天津、大名府。許瀚
在天津買書三種，河間府買書兩種，大名府買書一種，遠少於在湖
州、寧波、紹興等地的購書量。造成如此特點的原因可能是，當時北
方的書籍市場，以北京特別是琉璃廠為中心，其他各地方的書籍貿易
並不十分活躍。[16]但在浙江，許瀚不僅在學署所在的杭州購書，他在
紹興、寧波、湖州等地的購書數量也相當可觀。並且，在江浙地區，
他還採購了數套叢書，在杭州購買《抱經堂叢書》、《省吾堂匯刻》，
在寧波購買《讀畫齋叢書》、《杭氏七種》，在紹興購《經訓堂叢書》、
《漢魏叢書》，在衢州購《淩氏叢書》。他在江浙購買了不少最新的學
術著作和新刻之書。如段玉裁《經韻樓集》、孫星衍《孫淵如先生
集》、鮑廷博刻《四庫全書簡明目錄》、阮元刻《七經孟子考文》等。
他還將購買的《論語古訓》、《詩經序論》、《佩文廣韻彙編》、《論語隨
筆》等幾種書特別標注了「寄回家」、「帶回家」。而在《燕臺買書
記》中，有《撫庫禮記釋文》、《曹刻司馬類編》兩種書，卻是「由浙
寄來」[17]。此種書籍消費特點的呈現與江浙發達的書籍刻印和貿易產
業有密切聯繫。這一點，或許可以從許瀚對江浙各地書肆、書攤名稱
的記錄得到印證——「紹興遺經堂」、「嘉興鑑古堂」、「湖州博古
堂」，江浙書肆林立的局面給許瀚留下了深刻的印象。作為對比，許
瀚對北方購書處所的描述，很多都以地點作為標識——「琉璃廠東
門」、「天津鼓樓西」、「天津東門外」。他在河間府和大名府的購書，
亦未記下具體的書肆名稱。

　　綜合上述分析，許瀚的書籍消費在地域方面呈現出兩大特點：一

---

16 許瀚於道光十五年隨吳文鎔接考大名、廣平、順德、趙州、正定、定州、通州七棚
　　歲試。自述曰：「時從學使校文畿輔試院，苦無書可讀。」(清) 許瀚：《攀古小廬雜
　　著》，許瀚著，曹漢華、曹雙輯校：《攀古小廬文集》，卷4，《小學說》，頁190。

17 (清) 許瀚：《燕臺買書記》，《許瀚日記》，頁47。

是，整體上看，在京畿的書籍消費不如江浙積極；二是，許瀚在京畿的書籍消費高度集中在京師，南方則分散於杭州、寧波、湖州等多個城市。許瀚的購書觀念是「為讀而購」，他曾說：「每清夜自思，勞力疲精，置此長物，曾不能擷其膏腴，掇其菁英，以自潤飾，有所成立，與估販何異？」[18]另外，基於個人的經濟條件，許瀚購書一般是經過考慮的，既不會為裝點門面而購書，又不會盲目衝動消費。如此，其書籍消費反映出經濟狀況的各種特徵也就相對真實。

三　清代江浙的書業發展、經濟格局與書籍消費

書籍生產和銷售行業的發達進步是繁榮的社會經濟的體現。道光年間，北京和杭州一南一北，均是全國的書業重鎮。許瀚曾在京、杭兩地短暫居留，又因幕僚工作需要，輾轉於北京周邊天津、河間、大名等地及杭州周邊寧波、紹興、嘉興、湖州等州府。許瀚的書籍消費呈現的兩大地域特徵與江浙的書業發展及整體的經濟格局息息相關。

由於商品化農業和手工業的興盛，清代江南經濟的整體發展水平較高，「數量多、規模大、類型全、聯繫密」的城市群體已經形成。[19]江南區域內城市密度很高，其中既有蘇州這樣的全國性經濟重心主導整個區域的經濟社會發展，又有金陵、杭州、松江等繁華都市作為區域內經濟活動的集聚中心，次於金陵、杭州的湖州、嘉興等州府亦呈現出欣欣向榮的面貌，在城市和鄉村之間還有產業興旺的市鎮填充銜接。並且，各城市及市鎮之間借助發達的水路交通和密切的商業往來，形成緊密互聯的溝通網絡。有學者對明清時期江南城鎮的商品流

18　（清）許瀚：〈與楊石卿書〉，許瀚著，曹漢華、曹雙輯校：《攀古小廬文集》，頁63。

19　范金民：〈明清江南城市文化研究舉要（1976-2000年）〉，《人文論叢》2003年。

通進行概括時指出：「密布的專業化市鎮，有效地組織著分散的小商品生產與流通，更高層級的城鎮，如松江、杭州、南京等組織著原料、生產資料和製成品的集散，而最高中心地蘇州則組織全區域的商品流通，並與全國市場相連接。嘉湖以至杭州等地的成品絲綢，彙集到蘇州；松江等地的棉布主要也彙集到蘇州，流向全國其他市場。」[20] 這種多中心、多層次、聯繫密的商品流通和城市發展格局，對書籍產業和書籍收藏產生了重要影響。

　　這個城市群中，蘇州、金陵、杭州既是繁榮的工商業城市，也是書籍產業的中心。清初的戴名世說：「天下各種書板皆刊刻於江寧、蘇州，次則杭州。四方書賈皆集於江寧，往時書坊甚多。」[21]晚清的葉德輝結合葉夢得、陸深、王士禎等人的討論，梳理宋至清的刻書業發展，認為當時「天下書板之善，仍推金陵、蘇、杭」[22]。三個城市中，尤以蘇州書業最盛，乃是全國性的書業重心。清代中期的黃丕烈曾描繪蘇州城市書業發展的局面曰：「余居城西時，惟府東有一書坊，所謂敏求堂是也。既而由府以至按察司前直至胥門學士街，三十年間，書坊之多幾以十數矣。玄妙觀前，向多書坊，今亦更盛。」[23] 所謂「書坊之多幾以十數」並不誇張，各色書坊時常出現在黃丕烈的藏書題跋中，晚清的葉德輝就根據黃跋所記列出蘇州書坊二十餘家，大致勾畫出蘇州書鋪林立、書籍萃集的繁榮局面。葉氏記曰：「胥門

20 龍登高：《江南市場史——十一至十九世紀的變遷》（北京：清華大學出版社，2003年），頁27。

21 （清）戴名世著，王樹民編校：《戴名世遺文集》（北京：中華書局，2019年），卷16，《憂庵集》116，頁587。

22 （清）葉德輝：《書林清話》（北京：中華書局，1957年），卷9，〈古今刻書人地之變遷〉，頁254。

23 （清）黃丕烈撰，余鳴鴻、占旭東點校：《黃丕烈藏書題跋集》（上海：上海古籍出版社，2013年），頁269。

經義齋胡立群、廟前五柳居陶廷學子蘊輝、山塘萃古齋錢景凱、郡城
學餘堂書肆、玄妙觀前學山堂書坊、府東敏求堂、玄妙觀東閣師德
堂、臬署前書坊玉照堂、臬署前文瑞堂、臬轅西中有堂書坊、醋坊橋
崇善堂書肆、郡東王府基周姓墨古堂、閶門橫街留耕堂、閶門書業
堂、閶門文秀堂書坊、金閶門外桐涇橋頭書鋪芸芬堂、玄妙觀前墨林
居、紫陽閣朱秀成書坊、封門大觀局、遺經堂、西山堂、本立堂書
坊、王府基書攤高姓、胡葑洲書肆。」[24]以上論列，不乏五柳居、萃
古齋等具有全國性影響的大書肆，故葉德輝有蘇州「書肆之盛，比於
京師」的觀感。[25]甚者，根據今人的研究，蘇州書坊的數量遠不止葉
氏所列二十餘家，書坊業已成立有行會組織崇德公所。[26]而且，蘇州
不僅書籍銷售業發達，與圖書相關聯的產業均有所發展。乾隆五十八
年（1793），蘇州的印紙作坊就有三十三家，坊主開設紙坊，雇傭工
匠生產，雇工總數達八百餘人。[27]印紙以外，刊刻也十分繁盛。有學
者對清代全國主要的刻書中心的刻工數量和刻書條目進行統計，得出
的結論是「江蘇、浙江兩省特別是其中的蘇州、南京等地，仍然是刻
工最為集中的地區，這與前人印象中的文獻記載正相吻合。其中蘇州
無論是刻工數量還是刻書條目都雄踞榜首，是清代毫無疑問的出版中
心」。[28]許瀚的購書清單中，就有《省吾堂匯刻》為蘇州府常熟縣蔣光
弼輯刻，《張刻小學五書》為吳縣張士俊澤存堂所刻。

24　（清）葉德輝：《書林清話》，卷9，〈吳門書坊之盛衰〉，頁254。

25　（清）葉德輝：《書林清話》，卷9，〈吳門書坊之盛衰〉，頁254。

26　張秀民著，韓琦增訂：《中國印刷史（增訂本）》（杭州：浙江古籍出版社，2006
　　年），頁394-395。

27　蘇州歷史博物館、江蘇師範學院歷史系、南京大學明清史研究室等編：《明清蘇州
　　工商業碑刻集》（南京：江蘇人民出版社，1981年），頁89-95。

28　鄭幸：〈從刻工題名看清代刻書業的地域變遷與異地流動〉，《中國出版史研究》
　　2021年第1期。

　　杭州書業在清代經歷了曲折發展。從宋代起，杭州就成為全國的刻書中心之一，即如王國維先生所云「南渡以後，臨安為行都，胄監在焉，板書之所萃集」[29]。宋人葉夢得指出：「今天下印書，以杭州為上，蜀本次之，福建最下」[30]，浙刻本尤以版刻優良著稱。明代時杭州書業雖有衰落，但仍可與蘇州、南京並列成為全國性的書業中心。胡應麟嘗記述明代杭州書肆的情況曰：「凡武林書肆，多在鎮海樓之外及湧金門之內、及弼教坊、及清河坊，皆四達衢也。省試則間徙於貢院前；花朝後數日則徙於天竺，大士誕辰也；上巳後月餘則徙於岳墳，遊人漸眾也；梵書多鬻於昭慶寺，書賈皆僧也。自余委巷之中，奇書秘簡往往遇之，然不常有也。」[31]至清代時，杭州書肆多集中於清河坊一帶。[32]許瀚購買的《抱經堂叢書》即杭州學者盧文弨輯校刊刻。南京原為六朝古都，政治底蘊深厚。在清代，不管是清初設立的江南省，還是此後改設的江蘇省，省府均位於南京。顯赫的政治地位，使得南京聚集了一批富商巨賈和文人墨客，刺激了南京的文化產業。就書籍產業而言，南京三山街、夫子廟等地是書肆雲集的繁榮之所。朝鮮使臣徐有素在《燕行錄》中記載：「京都正陽門外琉璃廠冊肆凡十一，廣儲書冊售之，大者十餘萬卷，小者五、六萬卷。蓋無書不存，然猶不及於南京書肆云。凡求於北京書肆而未得者，往求於南京而得之云。」[33]足見南京書業的興盛帶給朝鮮使臣的深切感觸，引

29　王國維：《觀堂集林》（石家莊：河北教育出版社，2001年），頁648。

30　（宋）葉夢得撰，徐時儀整理：《石林燕語》（鄭州：大象出版社，2019年），卷8，頁174。

31　（明）胡應麟：《少室山房筆叢》（上海：上海書店出版社，2009年），卷4，〈經籍會通四〉，頁42。

32　孫文傑：《中國圖書發行史》（武漢：武漢大學出版社，2015年），頁348。

33　李德懋在遊覽琉璃廠五柳居書肆之後則有「凡天下奇異之籍甚多，始知江浙為書籍之淵藪」的感觸。（韓）徐有素：《燕行錄》，（韓）林基中編：《燕行錄全集》，第79

發了他們對江南書業的合理想像。蘇州、杭州、金陵三個特大城市，人口密集，財力雄厚，商品需求和文化需求旺盛，帶動了整個區域的經濟和產業發展。

在三個中心城市以外，江浙還有湖州、嘉興、紹興、寧波等城市書業繁榮，往來密切。[34]浙東的「鄞縣、奉化、象山、會稽、餘姚等地都成為省內刻書中心，刻本很多」。[35]許瀚在寧波所買《讀畫齋叢書》即嘉興藏書家顧修所刊，他在金華、衢州的考棚書市上還遇到過杭州、紹興的書商售書。[36]湖州、嘉興、寧波等城市構成了江南城市群的中堅力量，提升了江南經濟的整體水平。而遍地書肆的場面為文人學者採買書籍提供了便利。朱彝尊就嘗指出：「古之擁萬卷者，自詡比南面百城；今則操一囊金，入江浙之市，萬卷可立致。」[37]

在城市之外，江浙地區的市鎮星羅棋布，手工業、商業發達，構成區域網絡的重要節點。比較大的市鎮如南潯、盛澤、烏青等鎮各有所長，煙火萬家，百貨駢集，四方商賈輦金而至，貿易盛於縣治。其中烏青鎮地處江浙湖、嘉、蘇三府交界，烏程、歸安、石門、桐鄉、秀水、吳江、震澤七縣錯壤，交通便利，民物繁縟。烏青鎮盛產輯里絲，經震澤轉售上海，並彙集來自石門、桐鄉等地的桑葉向外發售，成為著名的桑葉集散地。盛澤鎮則因綾綢業發達，鎮上絲行向嘉善、平湖、新市、石門、桐鄉、王店、濮院、新篁、沈蕩等臨近市鎮採購蠶絲，並向外發售成品，是著名的絲綢集散地，「天下衣被多賴之，

冊，頁228；（韓）李德懋：《入燕記》，（韓）林基中編：《燕行錄全集》，第57冊，頁293-294。

34 參見顧志興《浙江印刷出版史》（杭州：杭州出版社，2011年），頁384-405。

35 馮曉霞：《浙東藏書史》（杭州：浙江工商大學出版社，2013年），頁85。

36 （清）許瀚著，崔巍整理：《許瀚日記》，頁12。

37 （清）朱彝尊：〈池北書庫記〉，《清代詩文集彙編》（上海：上海古籍出版社，2010年），第116冊，《曝書亭集》，卷66，頁503。

富商大賈數千里輦萬金來買者，摩肩連袂，如一都會焉」[38]。因此學者總結道：「市鎮網絡使各市鎮連成一體，發生密切的經濟聯繫，呈現一種經濟一體化的態勢。」[39]

就書籍產業而言，市鎮與城市互為補益，相得益彰。湖州織里一鄉，地處浙江省北部，北依太湖，販書業極為發達。書商販運書籍，往返於江浙各城市，被稱為「湖賈」。康熙年間，鄭元慶在論述湖州書籍產業之發達時說：「舊家子弟好事者，往往以秘冊鏤刻流傳。於是織里諸村民以此網利，購書於船，南至錢塘，東抵松江，北達京口，走士大夫之門，出書目袖中，低昂其價。所至每以禮接之，客之末座，號為書客。二十年來，間有奇僻之書，收藏家往往資其搜訪。」[40]湖州書船借助水運的便利，經營範圍遍及江浙各地，甚至北至京師、遠達日本朝鮮。乾隆時期的張鑑寫道：「吾湖固多商賈，織里一鄉，居者皆以傭書為業。出則扁舟孤棹，舉凡平江遠近數百里之間，簡籍不脛而走。蓋自元時至今，凡四百載，上至都門，下逮海舶，苟得一善本蛛絲馬跡，緣沿而購取之。」[41]他們的出色服務，為購求書籍提供了便利，促成了書籍交易的達成。此外還有一些市鎮居民從事造紙、刻書等產業，與城市文化產業的發展相互促進。浙江西南的開化、常縣、龍遊等縣地處山區，有石灰、溪水，又毗鄰福建、江西，工匠的流動帶來技術，因而造紙業十分發達。其中常山地處錢塘江上游，距離杭州水路七百里，來自江西、安徽、福建的商賈多經

38　（清）倪師孟等纂：《乾隆吳江縣志》，《中國地方志集成・江蘇府縣志輯》（南京：江蘇古籍出版社，1991年），第19冊，卷5，〈物產〉，頁382。

39　樊樹志：《明清江南市鎮探微》（上海：復旦大學出版社，1990年），頁122。

40　（清）鄭元慶：《湖錄》，《中國地方志集成・浙江府縣志輯・同治湖州府志》（上海：上海書店出版社，1993年），第24冊，頁628。

41　（清）張鑑：〈眠琴山館藏書目序〉，《清代詩文集彙編》（上海：上海古籍出版社，2010年），第490冊，《冬青館集》，甲集，卷4，頁557。

此地出入浙江。常山縣城以西五十里有地曰球川，溪水清潔，民多造紙，故成為「紙都」。地方志載常山「向出球川紙，擅利一方」，球川紙「大小厚薄，名色甚眾，惟球川人善為之」[42]。光緒《常山縣志》所記《球川晾雪》詩曰：「幅員數里錦為城，破竹為絲滿地明。似月似霜還似雪，一川白得可憐生。」[43]所詠即球川造紙行業晾紙時的盛況，也點出了球川紙潔白細膩的特性。遂安諸生汪上彩有《球川紙》詩，稱讚球川紙工序繁複、製作精美，以至出現「名馳他邦賈客連」、「舟裝擔荷常喧闐」的局面。[44]毗鄰常山的龍遊以售紙知名，龍遊商人開設紙行書肆向外銷售，其中溪口村客商雲集，村之繁盛，倍於城市。城鎮、市鎮的發展，縮小了區域經濟差距，提升了整體的城市化水平，增強了城市的商業職能，推動了江南的經濟繁榮。有不少學者、藏書家選擇定居在市鎮，他們興建園林，蓄積書史，舉辦各種文化活動，促進了市鎮的文化振興。因此可以說，江浙地區的大城市和中小城市、市鎮形成互為補益、協調互通的發展格局。

清代北京周邊的城市群效應不明顯，北京是區域內唯一的特大城市，天津等大城市的數量少，資源高度集中於京師，城市間發展差距大。[45]作為對比，江浙的多中心、多層次、聯繫密的城市群體促進了書籍產業的布局和協調發展，為購求書籍提供了便利。因此，許瀚在

---

42 （清）李瑞忠修，朱昌泰纂：《光緒常山縣志》，《中國地方志集成・浙江府縣志輯》（上海：上海書店出版社，2000年），第56冊，頁592、629。

43 （清）李瑞忠修，朱昌泰纂：《光緒常山縣志》，《中國地方志集成・浙江府縣志輯》，第56冊，頁988。

44 （清）潘衍桐編，夏勇、熊湘整理：《兩浙輶軒續錄》（杭州：浙江古籍出版社，2014年），第6冊，卷32，〈球川紙〉，頁1590。

45 相關學者在考察清代京師對京畿腹地的制約因素時指出，「沉重賦役的制約，頻仍戰亂的破壞，京師對低層級城市的回浪效應，使得直隸區域城市系統的近代化進程緩慢。」張慧芝：《天子腳下與殖民陰影：清代直隸地區的城市》（上海：上海三聯書店，2013年），頁415。

除杭州以外的湖州、紹興、寧波等地，也能夠買到大量圖書。這種多中心、多層次、聯繫密的經濟格局和城市群體，與文化事業的發展形成良性互動，也從整體上提升了江浙的發展水平，促進了江浙遍地書香、儒雅氣氳區域特色的形成。

——本文曾提交二○二三年無錫濱湖歷史文獻學術研討會暨中國歷史文獻研究會第四十四屆年會，並獲同組專家評議，謹致謝忱

清代江南普通文人的書籍活動和文化追求

——以崑山潘道根為例

　　明清江南藏書蔚然成風，著名藏書家不可勝數，為典籍保護和文化傳承做出了卓越貢獻。大藏書家豪擲千金購求宋元善本的故實屢為人稱道，其藏書之搜訪購藏、校勘編目、流散佚失諸過程廣為學者矚目，相關研究汗牛充棟。而江南書籍社會的構建離不開中下層文人的支撐，普通文人的書籍活動和文化追求值得關注。

　　潘道根是清代道咸時期江蘇崑山的一名普通文人，以坐館和視疾為業，布衣終生，然性篤藏書，手抄不輟，著述頗豐。目前學界對潘氏的關注不多，僅有馮賢亮先生〈潘道根及其著作：抄本崑山先賢塚墓考〉與〈崑山名家詩人小傳〉等文章，簡要梳理了潘氏的生平和撰述。近年，《潘道根日記》整理出版，為學界了解其生平行事提供了重要參考。筆者閱讀潘翁日記信劄時，深切感受到他的書籍之好無異於知名學者和藏書大家，他作為清代江南極為普通的一名底層文人，其書籍活動和文化追求頗具代表性。我們可以透過潘道根的書籍活動和相關著述，窺見江南藏書之風影響下，中下層書籍社會的若干側面和細節。

一 江南藏書之風與普通文人的書籍之好

明清時期，受到經濟發展、學術繁榮和充足書籍資源的多重影響，江南孕育出人知向學、家尚蓄書的良好風氣，書籍收藏蔚然成風。在此背景下，以潘道根為代表的普通文人中也不乏蓄積書史、從事撰述並且卓有成就之人。

（一）江南藏書之風

中國古代文人素有藏書治學的傳統，王欽若云：「士大夫以詩禮立身，儒素為業，廣聚墳典，以遺子孫，若良農之儲未耜，百工之利刀尺也。繕其簡編，飾諸緗帙，手自刊校，心無倦怠。」[1]江南久為財賦重地、人文淵藪，經濟文化積澱深厚，其藏書事業歷史悠久，享有盛名。清代達到了藏書事業發展的巔峰，俞樾說：「國朝稽古右文超踰前代，而海內士大夫家亦競以藏書為富，精求善本，考證異同，極一時之盛。」[2]清代士大夫競相從事書籍收藏，形成了人數眾多的藏書家群體，楊守敬在《藏書絕句序》中說：「藝圃騰輝，斷推昭代。若絳雲樓之未火，述古堂之繼興，文字垂光，爛若球貝，猶未已也。聿觀常熟之毛、泰興之季、崑山之徐、天一閣范氏、澹生堂祁氏、道古樓馬氏、得樹樓查氏、小讀書堆之顧抱沖氏、五硯樓之袁壽階氏、滋蘭堂之朱文遊氏、百宋一廛之黃蕘圃氏、長塘鮑氏、棟亭曹氏、香岩書屋周氏、藝芸書舍汪氏、開有益齋朱氏、愛日之廬、碧鳳之坊、楹書之錄、行素之堂、孫氏之祠堂、影山之草堂、瓶花之齋、稽瑞之樓、拜經之樓、賜書之樓、鐵琴銅劍之樓、觀海之樓，為世寶

---

1 （宋）王欽若等：《冊府元龜》（南京：鳳凰出版社，2006年），頁9437。
2 （清）俞樾：《春在堂全書》（南京：鳳凰出版社，2010年），〈春在堂雜文〉，頁325。

稱，後先繼出。」所述皆清初至清末的藏書大家，其中以江南藏書家為多，「於吳則蘇、虞、崑諸劇邑，於浙則嘉、湖、杭、寧、紹諸大郡」[3]，連乾隆皇帝也指出：「江浙諸大省，著名藏書之家，指不勝屈。」[4]就崑山而言，藏書事業源遠流長，以葉夢得、葉盛為代表的葉氏家族和徐乾學為代表的徐氏家族為崑山藏書的傑出代表，有學者統計，僅崑山一地，「歷代藏書家不下一百八十人」[5]。

清代江南藏書之風不僅體現在大藏書家輩出，藏書之風長期浸潤下沉，在整個社會上形成一種蓄書治學的風氣。清人趙懷玉云：「越中故多藏書家，喜為根柢之學。余嘗遊梅里，見其家執一編，村童巷豎無不樂談風雅，非父兄之教與夫性能篤好之者，孰克致此哉！」[6]而丁申則在《武林藏書錄》中說：「武林為浙中首郡，天水行都，聲名文物，甲於寰宇，士多好學，家尚蓄書。」[7]可見清代江南經濟文教發達，社會上形成了家執一編、人知向學的良好風氣。《光緒常昭合志稿》記載常熟藏書家孫從添，「諸生，善醫，用藥出人意表。婦孺呼為『孫怪』。僑居郡城，大吏皆器重之。有書癖，家雖貧，而所藏逾萬卷。自撰《藏書紀要》，分為八則，言之甚詳且備，蓋真知篤好者。」[8]孫氏家雖貧寒，仍藏書達萬卷，且撰寫了重要的藏書理論著作《藏書紀要》。又有朱文藻記杭州寒士童鈺之聚書：「先生好藏書，題所居曰：『借庵』，並自識云：『予幼即聚書，壬戌遭兩大人之

---

3 楊守敬：《藏書絕句》（上海：古典文學出版社，1957年），〈序〉，頁2。

4 中國第一歷史檔案館編：《纂修四庫全書檔案》（上海：上海古籍出版社，1997年），頁68。

5 莊吉：〈崑山藏書文化述略〉，《山東圖書館學刊》2012年第4期。

6 （清）趙懷玉：《亦有生齋集》，《清代詩文集彙編》（上海：上海古籍出版社，2010年），第419冊，頁584。

7 （清）丁申：《武林藏書錄》（上海：上海古籍出版社，2005年），頁1。

8 （清）龐鴻文等纂：《光緒常昭合志稿》，《中國地方志集成·江蘇府縣志輯》（南京：江蘇古籍出版社，1991年），頁562。

難，棘人煢煢，未暇及此，盡為肱篋所有。兩年又聚數千卷，以先大父官事質典庫，復為豪家奪去。自丁卯至壬申六年，竭心力購之，且以內人所媵一婢雙桂易之，幾逾萬卷。」[9]童鈺屢次遭難，仍竭力購書，其執著令朱氏心生感慨，「寒士蓄書之不易如此」。以往我們更多關注身為達官巨富的藏書名家，缺乏對普通文士藏書的關懷；但一定程度上說，普通文人從事書籍收藏活動，更能體現風雅江南文化之深刻影響。

（二）潘道根的書籍之好

潘道根（1788-1858），字確潛，一字潛夫，號晚香、飯香，晚號徐村老農、飯香老人等，久居蘇州府新陽縣（今崑山玉山鎮）。潘氏本為望族，但潘道根早年失怙，中年喪妻，人生慘澹。他雖嗜讀書，但不與科舉，屢次遷居，先徙梅心涇，後移徐村，以課館、行醫謀食鄉里，貧寒以終。他在書信中描述自己的狀況說：「行年五十，而名不出於里黨。家貧，課童以給，兼以醫術自濟。環堵之室，遠寄江村。無翁翁之交，杜門讀書而已。」[10]其日記中記，「余今歲已無生徒可授。春夏間，求醫者甚少。生涯冷淡之至，而門戶應酬不可省」[11]，可見其經濟困窘之狀。道根獨子潘守拙亦以坐館行醫求食四方，道根五十三歲時，曾赴守拙坐館之所探望，「念其貧，以百文付之」[12]，大致可想見潘氏父子的經濟處境。從經濟條件來看，與豪擲千金的藏書大家相比，潘氏父子這樣的普通文人從事書籍收藏的基礎是相當薄弱的。

---

9 （清）阮元：《兩浙輶軒錄》（杭州：浙江古籍出版社，2012年），頁2226。

10 （清）潘道根：《潘道根日記》（南京：鳳凰出版社，2016年），頁122。

11 （清）潘道根：《潘道根日記》，頁151。

12 （清）潘道根：《潘道根日記》，頁189。

潘道根雖家貧，但以讀書藏書為樂，他自述：「余壯年時，處世之盈，自謂獨貧無害，故生平不作殖產之想，但經營數千卷書而已耳。」[13]又說：「瓶無儲蓄，惟破書乃有千卷。」[14]潘道根早年即喜蓄積書籍，晚益好學，「終日攤書對古賢，有時攜杖訪林泉」[15]就描繪了他志古好學的日常。道根七十大壽時，徐鳳翼撰詩稱頌潘道根「卅載著書忘歲月，半村高隱占林泉」、「插架牙籤夙好敦，先生終日閉柴門」[16]，結合潘道根日記來看，友人的肯定並非溢美，潘氏的書籍之好有多種體現。

首先他珍視書籍，視書為寶。當他看到書籍遭逢不幸時，就會心生憐惜：「是卷得之王靜齋坤，未知於何時落女郎手，夾針線用。久之，又為惡少年縛之以較拳勇。書之淪劫，一至於此。」[17]心愛之書《唐音統籤》卻被女郎、惡少視為無用之物冷漠對待，這是不同的書籍觀念導致的。潘道根曾丟失《鄭氏萬金方》一部，「檢點架上諸書，竟勿得。是書編元、亨、利、貞四集。先以友人管倚岩所得不足本為主，復向嘐城姜秋農借《萬金一得》，方挨輯，續得吳氏、范氏、徐氏、王氏借本補入。擬於來春稍暇，當為編輯，置之案頭，時常翻閱，不意失之。惜哉！惜哉！」[18]丟失書籍之後唏噓不已，這是珍視書籍的體現。潘翁心繫書籍，他曾有一書為友人借去，二十年後復於書市見之，感慨良深：「余二十年前，以青蚨五百片得諸湖州書賈沈蕭舟者。書法秀逸，下有『解嘲堂印』記。時先師吳東田先生館吳門潘氏，歲暮解館，甫抵家即呼童持燭，來叩余門，索是書以去。

13　（清）潘道根：《潘道根日記》，頁354。

14　（清）潘道根：《潘道根日記》，頁572。

15　（清）潘道根：《潘道根日記》，頁272。

16　（清）潘道根：《潘道根日記》，頁494。

17　（清）潘道根：《潘道根日記》，頁50。

18　（清）潘道根：《潘道根日記》，頁469。

鴻爪雪泥,遂成往跡。不二年,余寄跡梅心。先生亦遂遊道山,所藏書盡漸出人間。今春,先生次子石民亦謝世。今日,余以事至城,值學使按臨,諸賈畢集於市。忽睹此幅,以索價太昂而止。歸村謾記於此。」[19]這也是寶愛書籍使然。

視書籍為寶,才會在社會活動中流露出對書籍的格外關注,如在問診時關注病人的藏書:「至莊涇華姓診病,無錫華貞固先生裔也。有號半村者(著《半村詩稿》),流寓於此。今其孫為木工,余診其子疾。檢點其所藏書,有高先生(攀龍)詩及貞固所撰《慮得集》,貞武所撰《黃楊集》,餘俱醫書。」[20]好借書與抄書是道根嗜書的另一體現,道根手抄古書達百餘種,並編有簡目,其中不乏大部頭的詩文集;他還常向友朋懇求商借書籍,日記中多見其書籍交遊。潘道根也撰作了一些學術著作如《儀禮今古文疏證》、《三禮今古文疏證》、《爾雅郭注補》、《讀四書偶筆》等,葉昌熾曾經眼潘道根著作,「廿六日到史館攜歸庫存書目一冊,內蘇郡縣志闕常昭,惟潘道根《儀禮今古文疏證》、《爾雅郭注補》、翁廣平《聽鶯居文鈔》皆未見之本。」[21]

當然限於其經濟處境和社交網絡,潘道根之識見遠不能與藏書名家相抗衡,他在版本鑑定和書籍辨偽方面就遇到過不少困難;再以其蓄書的品質和數量衡量,他也與一般意義上的「藏書家」存在差距。《光緒常昭合志稿》首次將藏書家列入地方志,標榜「自來郡邑志乘未有以藏書家立一專門者」,其選擇的標準是:「是皆有書萬卷以上而且專心篤好者,其以餘事及之者,則不在是。」[22]張升先生將藏書家

---

19 (清)潘道根:《潘道根日記》,頁27。

20 (清)潘道根:《潘道根日記》,頁236。

21 (清)葉昌熾:《緣督廬日記抄》(影印本)。

22 (清)龐鴻文等纂:《光緒常昭合志稿》,《中國地方志集成‧江蘇府縣志輯》,第22冊,頁557。

的標準歸納為三項「較多的藏書，較高質量的藏書，較高的鑑賞能力」[23]，以這三個標準衡量，「耕硯所入，僅供饘粥」，「經營數千卷書」，「架上手抄書數百卷，與農具藥囊相雜廁」[24]的潘道根無疑處於書籍社會中下層，其引起後世之矚目不在所藏書籍之美富，而在其篤好書籍、潛心治學之精神與藏書名家無異。

二　社會中下層的書籍流通與交遊

普通文人與藏書大家的經濟處境、社會地位存在差異，其書籍購求能力和社會交往圈層截然不同。既往的文獻學和藏書史研究往往多關注藏書名家，遮蔽了普通文人書籍活動的特色，從書籍流通的角度出發，可以看出江南中下層的書籍社會與精英階層存在著明顯的分野。

（一）書籍購求

前文曾述及，潘道根以坐館行醫為業，其收入水平不高[25]，因此很多書都是他難以負擔的，他在致友人的信劄中說：「弟家無《十三經注疏》。每讀書於此等處最苦，意欲購置，苦於其值之昂，且無其偶。」[26]以他的收入狀況而言，他能夠購求的書籍多是價格相當低廉的普通本甚至殘本，如《統釋》六十卷「惜不得其全書」[27]。再如：

23　張升：《歷史文獻學》（北京：北京師範大學出版社，2016年），頁124。

24　（清）潘道根：《潘道根日記》，頁8。

25　有學者考證，清代鄉村私塾教師的收入大致在每年19.55兩，江南地區略高。加上行醫診金，潘道根的平均年收入大致在幾十兩。見蔣威：〈論清代塾師的職業收入及相關問題〉，《歷史教學》（下半月刊）2013年第7期，頁17-23。

26　（清）潘道根：《潘道根日記》，頁555。

27　（清）潘道根：《潘道根日記》，頁221。

　　攜拙入城，時學使山西壽陽祁公（寯藻）按臨，四方雲集。
訪書肆，僅以錢三百五十片購求朱竹垞《經義考》不足本十五
本歸。

　　舟入城，得《經典釋文》、王充《論衡》（仍未購）、蔣氏《說
文字原集注》，共計洋銀三枚。

　　入城，過集街，過書有堂書林，見新出《慎齋遺書》，翻閱一
過。得《元詩選》不足本。

　　至集，得《遜志齋集》不足本五本、《醫方擇要》二本、《白鹿
洞規條目》一本、呂新吾《實政詳要》。[28]

　　潘道根常至萬元齋、同升坊、集街等處購書，所購之書多不注明
版本，價格低廉。而藏書大家為購求善本往往不吝重資，錢謙益購宋
刻《兩漢書》所費為白銀一千二百兩[29]，黃丕烈購宋刻本《三謝詩》
費每葉白銀二錢[30]，購宋刻《公羊解詁》十二卷費白銀一百二十兩[31]，
而潘道根購顧亭林《左傳杜解補正》費「青蚨六文」，《賢弈瑣詞》
「價僅八文」[32]，與列入藏書家善本書目的秘笈身價懸殊。就種類而
言，潘氏購書的種類遍及四部，比較蕪雜，除醫書外專門購置其他部
類書籍的傾向不明顯。

　　除了前往書肆書攤購書外，在潘翁所處的社會中下層也存在書賈
上門售書的現象。因為售書於藏書家能夠獲取不小的利潤，書商們往

28　（清）潘道根：《潘道根日記》，頁136、388、389。

29　（清）錢謙益：《絳雲樓題跋》（上海：上海古籍出版社，2005年），頁13。

30　（清）黃丕烈著，潘祖蔭輯，周少川點校：《士禮居藏書題跋記》（北京：書目文獻
　　出版社，1989年），頁187。

31　（清）黃丕烈著，潘祖蔭輯，周少川點校：《士禮居藏書題跋記》，頁4。

32　（清）潘道根：《潘道根日記》，頁41、426。

往在獲得一批舊藏之後，列一書單，或持幾冊樣品，有針對性地前往
藏書之家兜售，藏書家不需出門走訪，便可獲得所需書籍，這種針對
性的求售便於交易的達成。從藏書大家的書志題記來看，這些「上門
求售」的書籍多是價格不菲的古舊書，書賈獲利較多。如汲古閣主人
毛氏計葉求宋本，書賈集聚毛氏門前，產生「三百六十行，不如售書
於毛氏」的說法。

　　在潘道根所處的中下層書籍社會中，上門售書的情況也是存在
的，「午後，書賈湖州閔生來，以其觸熱而至，購《古詩源》一部、
《西域聞見錄》，凡三百六十文。」「湖州書賈鄭慰昌來，以錢七百文
得鄭曉《吾學編》十二本；《藤華亭十種》，順德梁廷枏、章冉撰；
《論語古訓》、《南漢書》諸種；《周濂溪先生集》四卷；《青雲洞遺
書》四本，晉絳謝蓮仙著。」「書客來，得《江堯峰詩文鈔》、王逸
《楚辭》十七卷」。「鄭生來，以制錢五百得《皇甫君碑》一帙。復有
《春秋內傳古注輯》一書，以索價太昂未得。」[33]以潘道根能夠支付
的幾百文書價衡量，書賈的獲利並不高昂。這從側面說明，在江南書
籍社會中，得益於書籍需求之旺盛，水陸交通之便利，書肆業之發展
相當成熟，分化出了服務於各層級購書者的書商群體，書賈們既網羅
鉤致舊家藏書轉售於藏書之家，又船載通行書籍兜售於普通文士，為
了促成交易，他們都會採取上門售書的形式。

（二）書籍假借

　　書籍在流通中擴大接觸面積發揮更大效用，貧寒之家僅憑自己的
少量藏書往往難以實現學問上的登峰造極。出於讀書治學的需要，與
師友互通書籍是很多文人的選擇。清代不少藏書家持有開放的藏書觀

33　（清）潘道根：《潘道根日記》，頁250、149、192、182。

念,他們之間形成了借抄借校、秘笈共賞的交往常態。[34]葉德輝云:
「吾家二十五世祖石君公樹廉樸學齋、秀水曹潔躬溶倦圃、崑山徐健
庵乾學傳是樓、秀水朱竹垞彝尊潛采堂、吳縣惠定宇棟紅豆齋、仁和
趙功千昱小山堂、錢塘吳尺鳧焯繡谷亭、海昌吳槎客騫、子虞臣壽暘
拜經樓、歙縣鮑以文廷博知不足齋、錢唐汪小米遠孫振綺堂,皆竭一
生之力,交換互借,手校眉批。」[35]所舉均為清代大藏書家,在他們
之間交換互借是常態,繆荃孫也說:「邇時談收藏者:潘吳縣師、翁
常熟師、張南皮師、文冶庵丈、汪郎亭前輩、蔡松夫黃再同兩同年、
盛伯羲王廉生兩祭酒、周薺生編修、王茀卿徐梧生兩戶部、陸純伯中
翰,互出所藏,以相考訂。」[36]可見「互出所藏,以相考訂」是藏書
界的普遍現象。

　　從潘道根日記來看,與他交遊較密者,有王椒畦、王樸臣、吳銀
帆、張星鑑、葉涵溪、吳止狷等數人稍富藏書,他常與之借贈往還,
潘氏記:「訪王文軒,以其所藏書及目見示。凡六大櫥,琳琅滿目,
借《經籍纂詁》歸。」[37]潘道根的友朋中,王文軒有「六大櫥」藏書。
而曹溶在《絳雲樓書目題詞》中說錢謙益藏書「大櫝七十有三」[38];
王宗炎《十萬卷樓書目》標明書櫥號,其中經部十四、史部二十八、
子部三十七、集部四十三,共計一百二十餘櫥[39]。同這些大藏書家相
比,「六大櫥」的藏書量並不是很多,但足以讓寒士潘道根感歎「琳
琅滿目」。

---

34 王蕾:《清代藏書思想研究》(桂林:廣西師範大學出版社,2013年),頁507。

35 (清)葉德輝:《書林清話》(北京:北京聯合出版公司,2018年),頁333。

36 繆荃孫:《藝風藏書記》(上海:上海古籍出版社,2007年),頁3。

37 (清)潘道根:《潘道根日記》,頁264。

38 (清)曹溶:〈絳雲樓書目題詞〉,錢謙益等:《稿抄本明清藏書目三種》(北京:北
　　京圖書館出版社,2007年),頁267。

39 (清)王宗炎:《十萬卷樓書目》(國家圖書館藏抄本)。

　　因為藏書不多，潘道根經常言辭懇切地向友人請求假借書籍，如其《與止狷丈劄》云「酒間談及《黃丹岩文集》、《梅華草堂文集》，迫欲一覽。希為檢付，以慰渴衷」[40]，又如：

> 借遠亭《楊誠齋策論》兩本、《元順帝紀》二本、王西莊《周禮軍賦說》二本、杭堇浦《石經考異》、《晉史補傳贊》二本。接吳門張薛孫劄，並寄還《松廬集》、《不易草堂詩》。又承寄《佛說四十二章經》、《佛遺教》、《六度集經》、薛起鳳《香聞遺集》、汪大紳《詩錄》、令祖薛塘先生試帖、《崇祀錄》、輓言、詞碑、《霜猿集》。
>
> 飯後，送菘翁往斜塘，晤其令嗣少菘。承借《遺民閔清錄》一本、《四明錢忠公集》一本、舊《太倉州志》四本、《柳邊雜記》一本、《切問齋文鈔》八本、《舊香居續著》二本、《董文友集》六本。[41]

　　與藏書家借書往往有明確的目標不同，在向友朋借書時，潘道根的請求常常是請友人「發數種」、「檢佳集」。如向季錫疇借書，季氏曾為常熟顧湘小石山房、瞿鏞鐵琴銅劍樓校勘古籍、編訂書目，自己也藏有不少舊書。潘道根《與季菘耘書》云：「閣下讀書萬卷，收藏亦富。想多弟未見者，能發數種以娛老眼，托令弟帶來，幸甚。」再從潘道根與顧邵庵的信劄往還來看，他多次提出請顧氏寄送藏書的請求，但並不指明所借何書，《答邵庵丈書》曰：「鄴架檢有佳集，望不吝寄讀。」《與邵庵丈書》：「近日曾得一二好書否？幸不吝見示

---

40 （清）潘道根：《潘道根日記》，頁530。
41 （清）潘道根：《潘道根日記》，頁132、102、441。

也。」[42]類似的借閱懇求還有很多，這可能與潘氏作為普通文人的藏書量不夠多有關，另一方面也說明，他們對彼此的藏書內容是相對熟悉的。

雖然不乏稍富藏書的友朋，但同藏書大家的社交互動相比，普通文人從社會交往中獲得珍貴書籍的機會往往較少，正如潘氏在書劄中坦言：「根性好讀書，天分極薄。第掩戶江村，塊然無伍，所恨家貧無書，友朋中能以書借人者甚少。」[43]又說：「窮鄉僻學，鮮藏書，又無大賢為之依歸。」[44]道出所面臨的治學困境。而且有時書籍擁有者並不樂於轉借，敦厚著稱的潘道根也會遇到書主不願出借的情形：「近來從徐君蘋州處，得其尊人懶雲丈所鈔《玉輝編》，殊快意，惜已不全。渠又鄭重不肯全付，現得兩卷，約錄後再行抽換。緣此恐有浮沉，不敢輕寄來。」[45]雖然為避免損毀而將藏書分批借出是藏書家常行之舉，但對於借閱者來說，往往會造成閱讀利用的不便。

（三）書籍贈送

張升先生指出，「以書為禮」是士大夫交往中的普遍現象[46]，投其所好的禮物贈送無論何時都是受人歡迎的，如釋葉舟「以《滑氏脈訣》寫本見贈」[47]就契合潘道根的閱讀需求。潘道根的藏書中，不少書籍都是友人贈送的。有些書籍來自病人的饋贈，以為診病之答禮，如潘道根為王椒畦診病，回程時，「椒翁遣人送《六朝文絜》一部，

---

42 （清）潘道根：《潘道根日記》，頁571、533、534。

43 （清）潘道根：《潘道根日記》，頁544。

44 （清）潘道根：《潘道根日記》，頁186。

45 （清）潘道根：《潘道根日記》，頁23。

46 張升：〈以書為禮：明代士大夫的書籍之交〉，《北京師範大學學報（社會科學版）》2017年第5期。

47 （清）潘道根：《潘道根日記》，頁516。

熟藕一種」[48]。書籍的知識內涵和雅致屬性，使其適宜成為文人間往來的禮物，潘道根在日記中記錄了自己的書籍之交，如：

> 接葉涵溪劄，並王研雲先生所惠書數種：《濂洛關閩四先生傳》、《國朝從祀三先生傳》、《朱子文鈔》、《呻吟語鈔》。
> 裝舊東畍城俞味庸丈所贈《食戒編》一卷、《寓意草》一卷、《本草歌訣》一卷、《經驗集方》一卷。
> 接婁東葉雪來秀才劄。承以《老子》一本、《儀禮節讀》一本、王同祖《東吳水利通考》一本、《況太守集》四本見惠。[49]

潘道根常與王椒畦、吳銀帆、吳止狷、顧邵庵、張若木、張星鑑等好友互贈藏書，從贈書的種類來看，存在「投其所好」的傾向，潘道根治《儀禮》、宗宋學，兼精醫理，以上幾部友人贈書就大致是符合其讀書需求的。

就借贈書籍的種類而言，藏書大家借贈之書常常是宋元舊抄或新刊家集；就書籍流通圈子而言，藏書大家所交多為一時名流，身份地位相當。潘道根僅為崑山鄉下一塾師鄉醫，所藏無宋元舊刻，所交無名公巨卿，他所面臨的書籍流通的格局自然同藏書大家有異。他所處的中下層書籍社會中，書籍多為普通版本的通行書，故知交們單次借出的書籍數量往往比較龐大，如張問月來訪「以《欽定七經》一百三十二本見借」[50]，規模巨大，甚至有人由借書轉為贈書，《宋文憲公全集》五十三卷，「從椒翁先生處借讀，先生遂以見贈」[51]，這樣的書籍

---

48 （清）潘道根：《潘道根日記》，頁56。

49 （清）潘道根：《潘道根日記》，頁317、359、508。

50 （清）潘道根：《潘道根日記》，頁189。

51 （清）潘道根：《潘道根日記》，頁60。

流通局面，一方面說明潘道根為人敦厚好學，友朋樂以書籍贈送；另一方面，相對於宋元舊本、名家抄本等稀見古籍，通行本書籍的價格不高也是影響因素之一。

三　書籍活動中的文化追求

　　江南文化的長久繁盛有賴於一代代江南學者的傳承和弘揚，身處中下層社會的江南普通文人，也懷有濃厚的地域自信和鄉邦情懷，從其具體的書籍活動中可以看到他們的文化追求。

（一）以理教子　詩書文教傳家

　　潘道根有一獨子潘守拙，守拙七歲失恃，潘道根未再續弦，而是獨自將守拙撫養成人。他十分重視對守拙的教育，從所讀之書、所抄之書的選擇，到為人處世、待人接物的方式，事無巨細，從日記中可見他對守拙的培養，灌注了詩書傳家、書香世衍的理想。如他見兒子讀書喜讀小說詩賦，而對經史之書反不留意，因此告誡守拙：

> 吾於世人所好，性俱淡然，惟書則嗜同昌歜，然亦有與年俱進者。陳村時，喜觀詩及稗史。自見遠亭、若木，始耽經學、訓詁，晚年始能讀性道之書。吾觀汝看書，喜小說詩賦，而於經史，反不留意。不知《六經》《四子》，義理甚深，中有一言之善，可以終身者。史傳皆經國大業，議論措置，別有一番作用。豈若稗史諸書，僅供談助比哉？宜知所擇，勿孤負青春也。[52]

52　（清）潘道根：《潘道根日記》，頁68-69。

　　潘道根認為，小說稗史，僅供談助，經史義理，有益終身，故勸誡守拙讀書宜有所抉擇。

　　讀書之外，道根也會命守拙抄寫書籍，從守拙所抄之書的類型來看，道根是有所選擇、別有深意的。如潘道根借來《顏氏家訓》一書命守拙抄錄，並云：「根志慕是書，從同邑葛子子敬借得之，命兒子守拙錄為一卷，而敬跋其後，且序其世系之略，見賢者之果能克昌厥後也。」[53]潘道根篤信理學，講求治學修身齊家，所作《〈張文端公家訓〉書後》曰：「桐城張文端所著《家訓》，談理不腐，涉世不遷，誠持身之軌範，賢愚俱可佩服者也。家訓之作，昉於北齊黃門侍郎琅琊顏氏之推書，凡七卷。宋左朝請大夫李正公又為之續，其書最行於世。然顏氏頗好釋氏，其文又苦煩瑣。」[54]雖然潘氏說《顏氏家訓》繁瑣，但一向沉穩的他，卻不惜為此書之品評與人爭辯：「余方與小湘借《顏氏家訓》一書觀之。毅堂一閱，即揮去，曰：『此小家數學問也。』余曰：『惟人人不肯守此小家數，致累及諸公費此大家數耳。』座中張石芸秀才深契余言。」[55]潘氏重視是書在子弟教育和家風養成方面的作用，他命守拙抄寫是書，正是因為此書蘊含的儒家思想和訓誡理念，符合其治家教子的需要。

　　潘道根篤好理學，服膺崑山名士朱用純，故「命拙兒錄柏盧先生《毋欺錄》」[56]。朱柏盧為明末清初崑山理學家、教育家，著有《朱子治家格言》等，影響深遠。《毋欺錄》一書為朱氏關於道德修養、言行規範的記錄，潘道根贊許《毋欺錄》曰：「讀是書，覺先生平日進德修業、省身克己、處事接物之要，俱在焉，必閱全本、原本，然後

53　（清）潘道根：《潘道根日記》，頁104。
54　（清）潘道根：《潘道根日記》，頁100。
55　（清）潘道根：《潘道根日記》，頁216。
56　（清）潘道根：《潘道根日記》，頁140。

可見其無一事放過，無一事錯過。」[57]故以是書之抄寫，磨礪守拙的
道德品性。道根在日常讀書時，遇到訓誡性的話語，筆錄以示守拙，
他從友人處借得《汪環谷集》，其中有《十思訓》一紙——「常思塞
默垂頭觸事面牆之恥，自不敢不勤讀書；常思饑寒迫身借貸無門之
苦，自不敢不節財用。」他認為「其言有可警予者，僭更數字，錄記
於此，以示拙兒」[58]。潘道根對守拙之訓導幾乎貫串其生活的方方面
面，道根寄守拙詩曰：「讀書課徒須用心，書中滋味好推尋。家貧無
物堪傳汝，只有詩書抵萬金。」[59]言辭諄諄，足見書籍活動中寄託著
詩書文教傳家的期待。

（二）手抄不輟　寄情古代典籍

　　潘道根性篤蓄書，手抄不輟，所抄書籍達百餘種，自稱：「小齋
自愛紙窗明，日日抄書作課程。縱使抄成無所用，也勝塵土負平
生。」[60]咸豐五年二月十八日，他曾作一書目，記錄手抄書籍：

> 手寫書籍存目：《九經古義》（一本），《邑志補遺》（一本），
> 《日記節鈔》（一本），《徐村文稿》（一本），《李白夫詩存》
> （一本），《揭文安集》（二本），《盛青嶁詩》（一本），《東華
> 錄》（四本），《綠陰府君遺詩》（一本），《違竽集》（一本），
> 《新陽縣城隍廟志稿》（一本），《邑志補遺訂訛狹本》（三
> 本），《顧亭林年譜》（二本），《春秋權衡》（一本），《臨證度

57　（清）潘道根：〈讀毋欺錄管見〉，《儒藏‧史部‧儒林年譜30》（成都：四川大學出
　　版社，2007年），〈朱柏廬先生編年毋欺錄〉，頁441。

58　（清）潘道根：《潘道根日記》，頁119。

59　（清）潘道根：《潘道根日記》，頁168。

60　（清）潘道根：《潘道根日記》，頁357。

針》（八本），《遺民閱清錄》（一本），《陳士蘭醫按》（一本），《崑山殉難錄》（一本），《玉峰完節錄》（一本），《陶仁節先生稿》（四本），《朱節孝文略》（一本），《經傳釋詞、述聞》（五本），《培林堂集》（四本），《無欺錄》（二本），《朱孝定未刻稿》（三本），《勤齋考道錄》（二本），《歸元恭文集》（二本），《左蘿石先生詩》（一本），《測海集》（一本），《淩邊玉峰志》（一本）、《易恒陶情集》（一本），《含經堂集》（四本），《說文新附考》（一本），《九靈山房詩文集》（二本），《三潞齋文集》（二本），《昆岫遺文》（一本），《呂氏小兒方》（一本），《毛西河四書辨正》（一本），《鴻爪集補》（一本），《張履成醫案》（一本），《毛楓山所刻方》（一本），《陸桴亭先生詩》（一本），《詩微》（一本），《徐村老農手鈔方》（一本），《潘瀾集》（一本），《戴氏經說》（二本），《升庵經說》（一本），《安民實務書》（四本），《高子節略》（一本），《朱子學的》（二本），《左忠貞公詩》（一本），《疫痧一得》（一本），《續溫疫論》（一本），《瘟疫節要》（一本），《史忠貞公集》（二本），《錢忠介公集》（一本），《傷寒貫珠集》（四本），《留石軒經驗方》（一本），《沈敬亭先生家訓》（一本），《阮虞再先生家訓》（一本），《馬鞍山紀略》（一本），《崑山名賢墓誌》（十本），《蘇門集》（一本），《述學述古節鈔》（一本），《弟子規》（一本），《篤素堂家訓》（一本），《遷改錄》（一本），《明季逸史》（二本），《名跡錄》（一本），《歸文休詩》（一本），《南陽葉氏詩存》（二本），《葉涵溪詩》（一本），以上共一百六本。

此手抄書目並非潘氏手抄書的全目，潘氏手抄書還有數十種，《中國古籍總目》著錄了不少潘道根抄本，如江藩《周易述補》、張

序均《虞氏易補正》為潘道根咸豐七年所抄，羅列抄本書目時兩書尚未抄成。此外還有《毛西河四書朱注辯正》，吳鼎《易堂問目》、魏校《莊渠先生門下質疑錄》、徐秉義《培林堂文集》（有潘守拙跋）等許多書籍存有潘道根抄本，其中《陳士蘭先生醫案》為江南名醫陳元凱所撰，今蘇州有一藏本即潘道根抄本，十分珍貴。[61]不少藏書家曾寓目潘氏抄本書，如葉昌熾曾見一潘道根抄本《澠水燕談錄》：「《澠水燕談錄》崑山潘晚香所手抄也，後有跋云：『是本乃亡表弟王君蛾臺惠余者，蛾臺得之徵君顧先生翼堂，蓋刑部李先生淞漁先生物也，余後質於夏子少白。甲戌夏日，少白出以示余，因為錄出一本以與少白而以原本歸余。嘉慶十有九年甲戌七夕後一日，梅心灌園者潘道根一字慧地，謹志於隱求草堂。』」[62]潘景鄭曾得潘道根抄本《李白匡詩草》二卷，為「崑山潘道根氏錄其鄉賢佚稿」，潘景鄭云：「據是知白夫亦昆邑隱士，姓字不彰，賴潘氏搜輯，以存其人。余於丙子歲見之常買家之手，以賤值得此及《霜紅龕詩鈔》，破敝不能觸手，爰命工葺而藏之，以存一邑志掌故云耳。」[63]可見不少珍稀之冊賴潘氏之手得以留存。

有學者指出，抄書「對於讀書人，它還有謀生之外的意蘊，既可以是閒暇時消磨時光的愛好，又可為一種幫助記憶與理解的學習方式。」[64]與藏書家影抄宋元珍本，謄錄名家手稿不同，潘道根抄書存在著明顯的個人特色，從其抄書活動中可以窺見他的文化追求和精神境界。

---

61 馮賢亮：〈潘道根及其著作：抄本〈崑山先賢塚墓考〉與〈崑山名家詩人小傳〉〉，林超民編：《西南古籍研究》（昆明：雲南大學出版社，2012年），頁424-432。

62 （清）葉昌熾：《緣督廬日記抄》（影印本）。

63 潘景鄭：《著硯樓書跋》（上海：上海古籍出版社，2006年），頁297。

64 徐雁平、楊芙蓉：〈清代的抄書與書籍生產及流動〉，《古典文獻研究》2017年第2期。

首先，手抄醫案、方案如《吳門曹氏醫案》、《曹樂山先生醫案》，這是潘氏作為醫士的職業興趣。潘道根作為一名醫生，手抄醫書達數十種並撰作了《醫學正脈》、《讀傷寒論》、《飯香道人醫案》、《外臺方染指》等著述，又補注《薛一瓢先生溫熱論批本》，刪潤《吳又可溫疫論節要》，可見他精求醫理，因此潘氏去世後，好友葉裕仁感慨「斯世失一良醫」。身兼儒與醫，潘道根還能將讀書與藥理並論，他說：「人家藏書及子弟讀書，宜有法律。今牙籤錦軸，紛紛雜陳，譬如將烏頭、鉤吻與參耆雜進，非以引年，殆將殺之耳。」因此他提出「愚意，以立身論之，讀書宜約；以學問論之，讀書宜博。出博返約，在乎見地」[65]。此外，潘氏格外關注記敘明清易代事蹟的撰述，注重表彰忠孝節烈，他手抄陳蘭徵《遺民閱清錄》、曹夢元《崑山殉難錄》、張立平《玉峰完節錄》、顧炎武《明季逸史》，其中不乏崑山著述，他所抄的《盡忠實錄》、《貞烈傳》、《玉峰完節錄》等至今仍存。另外，有關治學修身的著作也是潘氏格外留心的，其手抄之書有啟蒙讀物《弟子規》、家訓如《沈敬亭先生家訓》、《阮虞再先生家訓》、《篤素堂家訓》及理學名家朱柏盧的《毋欺錄》、《朱孝定未刻稿》，這折射出潘道根為學中的理學立場。此外，潘道根手抄書中還一部分潘氏自著，如《顧亭林年譜》、《徐村老農手鈔方》、《徐村文稿》，潘氏家貧，其著述多無力付梓，故手抄留存。

（三）表彰先賢　心繫鄉邦文獻

崑山人文鼎盛，代有名儒，俞樾云：「崑山在吳郡一大縣也，地有山水之勝，為人文所萃，前言往行，炳彪載籍，而若歸震川、顧亭林、朱柏盧三先生則尤著者也。」[66]潘道根服膺顧炎武之學，曾撰

65　（清）潘道根：《潘道根日記》，頁571。
66　（清）俞樾：《春在堂全書》，第4冊，頁187。

《顧炎武年譜》，又以朱用純為修身治學的標榜，自稱：「讀其書，而心契之，所造益進。」他在書籍活動中也致力於擴大朱用純的影響。朱用純與歸有光、顧炎武齊名，撰述雖多但分散，潘道根不遺餘力地搜求其著述，「至集街，以錢六百文得朱伯廬先生刪訂《易經蒙引》十二卷，為先生及門柴士侃藝循手寫者」[67]。購藏朱用純著述的同時，他還將朱用純的著作贈予同人，「訪葉涵溪，以朱柏廬先生《大中講義》、呂新吾先生《鄉約保甲事宜》贈之」[68]，又同友人商議刊刻朱用純著述，「吳郡汪石心先生（正）自城同胡敬甫秀才巽、張問月世講來訪，借朱柏廬先生《愧內集》、《毋欺錄》、《陶仁節先生集》、《李二曲先生集》四種去，其《毋欺錄》一種，許為代刊」[69]，後《毋欺錄》在潘道根的主持推動下刊刻流傳。這些活動促進了朱用純著述之傳播，擴大了朱用純的影響。

　　另外，相對於不少著名學者，普通文人潘道根更注重基礎文獻的整理。崑山人文薈萃，不少學者通過撰述來展現崑山的文化風貌，明代有張大復《皇明崑山人物傳》，清代亦有方鵬《崑山人物志》、唐德咸《崑山人物志》等作品。潘道根稱：「根平生注念，頗有志於地方風俗，而困於賤貧，未有舒展，然此念至今未灰。」[70]他與友人共輯《國朝崑山詩存》，並撰作《崑山名家詩人小傳》六卷，潘景鄭藏抄本《李白厓詩草》潘道根識語曰：「李珩字荊才，號白夫，新陽人。居東敦之黃泥涇，發禿皆赤，貌甚不揚，不知者皆易之……戊申歲，與張子鐵翁刻《崑山詩存》，從其婁東管之柏搜得其詩，僅三四兩卷耳，惜其少傳，錄存於塾。」[71]據此，潘氏為校刻《崑山詩存》還曾

67　（清）潘道根：《潘道根日記》，頁463。
68　（清）潘道根：《潘道根日記》，頁389。
69　（清）潘道根：《潘道根日記》，頁196。
70　（清）潘道根：《潘道根日記》，頁572。
71　潘景鄭：《著硯樓書跋》，頁296-297。

多方訪求鄉邦遺集，保存了不少崑山詩人的創作和生平交遊資料。此外，清代中期時，劉過、歸有光、顧炎武等諸多名人的墓塚仍有遺存，潘道根在實地探訪考察的基礎上撰成《崑山先賢塚墓考》四卷，其學術價值得到當代學者的肯定[72]。同時，潘道根考慮到「邑志於藝文有目無錄，殊為疏略」[73]，作《崑山藝文志考》，又創作了《邑志補遺訂訛》。友人稱他「網羅鄉之掌故，拾遺補漏，考訂訛誤，屹為鄉邦文獻所繫焉」[74]，堪稱的論。值得注意的是，心繫鄉邦的潘氏過世之後，其日記由崑山後學、儒醫王德森首次輯錄，可見一代代江南文人銜接起江南文化傳遞的鏈條，促進了江南文化的賡續。

四 餘論

羅時進先生提出，「江南在明清時代形成了一個以藝文為普遍表現、以圖書為人文支點、以興學為基礎力量，以隱讀為地域特色的文化型社會」[75]，高度概括了明清江南的文化和社會特徵。書籍被視為文人精神之外化，文人群體孜孜不倦地購求、抄藏典籍，是欲與古人前賢對話，同時構建起身份情感的認同。潘道根作為崑山鄉下的普通文人，生涯困頓，收入微薄，在其所處的中下層社會中，文化資源相對匱乏，書籍獲取不易，潘氏卻頗以讀書藏書為樂，手抄不輟，勤筆寫書，銳意表彰前賢，弘揚崑山文化，從中可見江南藏書風氣浸淫對於普通文人和社會文化的影響。這些普通的中下層文人，雖然寂寂無

---

72 馮賢亮：〈潘道根及其著作：抄本〈崑山先賢塚墓考〉與〈崑山名家詩人小傳〉〉，林超民編：《西南古籍研究》，頁424-432。

73 （清）潘道根：《潘道根日記》，頁435。

74 （清）潘道根：《潘道根日記》，頁6。

75 羅時進：〈明清江南文化型社會的構成〉，《浙江師範大學學報（社會科學版）》2009年第5期。

名，卻是社會中最廣大的知識群體，正是他們構築起江南文化型社會的基石，其書籍活動和文化追求值得表彰。另外，從潘道根的書籍活動來看，江南書籍社會存在層級分野，潘氏所處的中下層社會的書籍流通局面與藏書大家書志題記所載迥然不同，關注普通文人的書籍活動，更能觸及江南社會的書香風貌和江南文化的風雅特徵。

──原刊於《蘇州科技大學學報（社會科學版）》

二○二一年第二期

葉啟勳的書籍生活及其情感寄寓

　　論起典籍傳藏，多以江浙為代表；湖南地處偏遠，不常被人推重。傅增湘說：「嘗觀古來言藏書者，咸爭推吳越故家，而楚蜀之地，乃寂寂無聞。」[1]民國年間，以葉德輝為代表的葉氏家族，在湖南藏書界異軍突起。葉啟勳是葉德輝的侄子，家風浸染之下，葉啟勳繼承了葉德輝喜好藏書的品格，編有《拾經樓紬書錄》三卷，紀其所藏善本圖書百餘部，傅增湘為之作序。在書錄題跋中，葉啟勳不僅關注典籍的文獻價值，考訂書籍的版本、批校、流傳，且記述了許多與時代、家族、書籍生活相關的掌故，使之具有獨到的文化價值。

　　葉啟勳兄弟三人，兄啟蕃、弟啟發，同好購藏典籍。其弟葉啟發藏書樓號為華鄂堂，藏書志名《華鄂堂讀書小識》，兩家藏書初未分彼此。[2]葉啟勳子葉運奎說：「迫於生計，伯父啟蕃外出求職，以擅長珠算得任會計；叔父啟發擅長國畫，得任教員；父親則得日本《漢學雜誌》和南京金陵大學《國學季刊》約稿，而收藏古籍工作未嘗一日稍停。」[3]另據《二葉書錄》，兄弟三人的善本書籍多為葉啟勳購入，則葉啟勳為兄弟三人中收藏典籍的主力。

　　葉啟勳的諸篇題識寫定之後曾公開發表，一九三四年《圖書館學季刊》發布〈本刊所載〈拾經樓群書題識目錄〉〉，其中已有題識四十

1　傅增湘：〈長沙葉氏紬書錄序〉，葉啟勳、葉啟發撰：《二葉書錄》（上海：上海古籍出版社，2014年），頁3。

2　李軍：〈整理說明〉，葉啟勳、葉啟發撰：《二葉書錄》，頁3。

3　葉運奎：〈懷念父親葉啟勳〉，王逸明、李璞編著：《葉德輝年譜》（北京：學苑出版社，2012年），頁493。

餘篇。⁴一九三七年，葉氏將《拾經樓紬書錄》刻印於長沙；一九四
〇年，《拾經樓紬書續錄》成書二卷，達二三萬字，李小緣曾許為之
分期刊布，惜未見下文。⁵啟勳弟啟發說：「己卯三月，定兄取劫餘未
盡之書編成書錄，更取所作各書之題跋訂為《拾經樓紬書後錄》。」⁶
可知在一九三九年，葉啟勳還曾編訂藏書目錄，亦未見流傳。因此，
我們在討論他的書籍生活時，現存的《拾經樓紬書錄》是最為主要的
材料。⁷

　　近年以來，隨著學界對湖湘文化和藏書史、書籍史的關注，針對
葉啟勳的相關研究漸多。姜慶剛、晏選軍等學者發布了葉啟勳同李小
緣、商承祚、柳詒徵等學人來往的書信。⁸張憲榮和楊琦則重點關注
了葉氏兄弟所撰《二葉書錄》的特點和價值。⁹堯育飛所撰數篇文章
揭示了葉啟勳的生平經歷和學術貢獻，且他將北京大學圖書館藏傅增
湘舊藏《長沙葉定侯家藏書紀略》一書抄錄發布，為學人研究葉啟勳
藏書提供了新材料。¹⁰以上研究對我們瞭解葉啟勳其人其事均有重要

4　圖書館學季刊：〈本刊所載〈拾經樓群書題識目錄〉〉，《圖書館學季刊》1934年第3期。

5　姜慶剛：〈葉啟勳先生書信幾則〉，《圖書館》2012年第5期。

6　葉啟發：〈華鄂堂讀書小識序〉，葉啟勳、葉啟發撰：《二葉書錄》，頁170。

7　因時局、戰亂等原因，葉啟勳的主要的圖書購藏活動發生在二十世紀四十年代以
　　前，大致是《拾經樓紬書錄》所覆蓋的時間段。

8　姜慶剛：〈葉啟勳先生書信幾則〉，《圖書館》2012年第5期；姜慶剛：〈葉啟勳先生書
　　信考釋〉，《湘學研究》第5期（北京：中國社會科學出版社，2015年），頁175-182；
　　晏選軍、堯育飛：〈葉啟勳與柳詒徵往來書信四通考釋〉，《文獻》2018年第3期。

9　張憲榮，楊琦：〈淺談民國藏書家葉啟勳、葉啟發藏書目錄的特點和價值——以
　　〈二葉書錄〉為中心〉，《上海高校圖書工作情報研究》2018第3期。

10　堯育飛：〈秦火胡灰存典冊，定侯事業豈惟書——緬懷湖南藏書家葉啟勳〉，《公共圖
　　書館》2016年第1期；堯育飛：〈傅增湘與〈長沙葉定侯家藏書紀略〉〉，《圖書館研
　　究與工作》2016年第3期；堯育飛：〈「重塑」葉德輝：〈郋園先生年譜〉的作者及筆
　　法〉，《圖書館》2018年第9期；堯育飛：〈傅增湘舊藏〈長沙葉定侯家藏書紀略〉〉，
　　《湘學研究》第7期（北京：中國社會科學出版社，2016年），頁191-206。

貢獻。但少有學者關注葉啟勳具體的藏書活動、心態和情感，本文擬以葉啟勳所撰《拾經樓紬書錄》為中心，勾稽其書籍生活及其情感寄寓，求教於方家。

一　葉啟勳的典籍購藏

受家族影響，葉啟勳很小的時候即注重購入典籍，他說：「余年纔志學，即從廠肆遊。」一九一六年，葉氏十七歲，時周鑾詒藏書散出，他與友人秦更年分得之。一九三〇年時，葉啟勳三十一歲，他寫到：「本抱殘守缺之心，為啟先待後之計，歷十三寒暑，得四萬卷有奇。」[11]再至一九三七年《拾經樓紬書錄》撰成刊刻時，葉啟勳自稱「十數年間，聚書十萬卷有奇」。則僅在一九三〇至一九三七這七八年間，葉啟勳就購入典籍六萬卷。

（一）購藏方式

有學者總結「購書之方式也往往因人因時而殊異。然舉其大概，仍有一定之式：以購書對象論，或自書肆、賈客，或自藏家、民間；以購書類型論，或專注新籍，或鍾情舊典，間或新舊兼蓄；以購書方式論，或自買，或代買，或大宗收購，或零星蓄積；以購書所得論，或繫刻意尋覓，一朝釋懷，或繫不期而遇，喜出望外，如此等等，難以盡舉。」[12]據《拾經樓紬書錄》所記，葉啟勳購藏典籍有得之書肆、書賈、藏書之家等方式，他鍾情舊典，以自買為主，兼有大宗收購和零星蓄積。

11　葉啟勳：《拾經樓紬書錄》（上海：上海古籍出版社，2014年），頁76。
12　袁逸：《書色斑斕》（長沙：岳麓書社，2010年），頁235-236。

　　《拾經樓紬書錄》記載，長沙的玉泉街舊書肆是葉啟勳經常尋覓圖書之處。他的藏書中，有些書就是從書攤上不經意間得來，如在「冷書攤中」得趙之謙的《從古堂款識學》，又在「冷書攤頭購得明成化癸巳先族祖文莊公刻《詠史古樂府》」。但更多的好書還是直接來自於書賈處。葉啟勳不惜重金、廣搜舊籍的名聲傳揚在外，書賈常持書上門或持書單邀請葉氏往購其書。如明刻本《韓詩外傳》題記載：「三月十日，估人從湘潭舊家獲大批書籍歸，約余往觀。」[13]一九三五年時，葉氏曾得北宋刊小字本《說文解字》，記得書過程：「乙亥夏五，湘鄉估人持書一單求售，約余往觀。」[14]時代變動，藏書難守，舊藏書家之書，也常為葉氏所得，如於賀長齡後人處得李鼎元手批《水經注》，於黃國瑾家得朱彝尊、黃丕烈舊藏明抄本《牡丹百詠集》。[15]

　　「不期而遇」之外，他特別關注何紹基的舊藏，可謂「刻意尋覓」，在坊肆、書賈處見之，不惜重金購求，何氏後人何詒愷亦趨葉啟勳之門求售。故葉氏所藏善本書中，何氏舊藏甚多。據葉啟發所記，一九二九年時，兄弟二人購藏何紹基舊藏已超過五千卷：

　　有清道咸之間，道州何子貞太史紹基以書名重海內，而其藏書之富，人多不知，殆以一善掩眾長也……丙寅、丁卯之間，太史曾孫詒愷移寓省垣，染阿芙蓉癖甚深，又沉溺醉鄉，陸續舉其先世所藏者售金以資所費。余兄弟每於估人手見其家藏舊本，必傾囊金購歸。先後所得，以宋槧《宣和圖譜》、《韻補》、《夢溪筆談》，毛抄《重續千字文》為最，其餘元明舊

13　葉啟勳：《拾經樓紬書錄》，頁17。
14　葉啟勳：《拾經樓紬書錄》，頁17。
15　葉啟勳：《拾經樓紬書錄》，頁54、202。

紮、批校稿本不下五千卷也。[16]

何紹基以書法聞名，其藏書罕有人關注。何氏後人移居長沙，嗜好鴉片，不能守書，其書遂輾轉為葉啟勳兄弟所得。當然，葉啟勳購求圖書的方式有可能是諸多方式的綜合，舊藏家之書散落坊肆或為書賈整體購去，再為葉啟勳所得，也是常見的情況。在葉啟勳的典籍購藏活動中，少見請人代購，多為親自購買。

（二）與書賈的博弈

同其他商品的流通一樣，在圖書市場的交易中，買方和賣方也常要經歷一番博弈。葉啟勳在藏書界浸潤多年，自然要同書商常有往來。葉啟勳的筆下的書商多沒有留下姓名，多以「書估」、「估人」代稱，其形象或陰險狡黠，或敏而好學，躍然紙上。試舉一例，王鳴韶為王鳴盛之弟，有《鶴谿文稿》手稿。葉啟勳先於袁芳瑛處得此書之一半，而書賈處持有另一半。「書估知余必欲得此以成完璧，始頗居奇，遷延月餘，以殘冊無人過問，卒為余有」[17]，葉啟勳知曉書估居奇遷延的原因和目的，但不急於入手，最終書估因書為殘本難以售出，不得不售予葉啟勳。更多的情況是每逢珍本，書賈常以葉啟勳之面色定書之價格，「估人之黠者，每以余之面色定價之高下。此書余一見而心怦怦動矣，估人遂堅持原價，不肯減少」[18]。更有狡黠的書賈不知書之價值，僅見葉啟勳來購，便知書非普本，刻意提高價格。葉啟勳對此深有體會，但惜書之情，不忍交臂失之。如購明本《居士集》時，「當時持此書求售，人無知者，余擬以賤價獲之。不欲書估

---

16 葉啟勳：《拾經樓紬書錄》，頁76。

17 葉啟勳：《拾經樓紬書錄》，頁154。

18 葉啟勳：《拾經樓紬書錄》，頁129。

見余欲售，始知為秘帙，居奇昂價。余重其稀見，乃以重價收之」[19]。

　　有經驗的書商多熟悉典籍的版本和價值，以為交易時的憑藉。故有時藏家和書賈眼力精疏，在書籍交易時十分重要，稍有不慎，就會處於下風。一九一六年時，葉啟勳在書賈處見彭文勤手校古香樓抄本《默記》，因書賈不知彭文勤之名，葉氏得以賤值二十金得之。[20]又如因書賈「不知半恕道人為堯圃別號」，且不識其筆跡，葉氏得以番銀四十餅購得明刊本《巽隱程先生集》[21]。

　　有時書賈居奇過甚，索價極貴，葉氏不得不採取非常規辦法，仿明人王延喆事，排印流布之以降其價。明嘉靖王延喆刻本《史記》題識記：「憶余庚申歲，有持影宋抄本唐馬總《通曆》求鬻者，聞出縣人袁漱六太守芳瑛家中，其先固蘭陵孫星衍淵如觀察舊藏本也，索直極昂，且不肯示人。余頗惡其居奇，乃假歸，集從父兄弟竭一晝夜之力，抄寫其副，急以活字排印二百部，而以原書還之。厥後活字印本坊肆風行，其人知而賤售從兄某，今得之矣。距求售時纔月餘耳。」[22]當然，此法不甚光明正大，不足為人效仿。

　　亦有好學的書賈，買賣達成之後仍向葉啟勳求教的。有一柳姓書賈，持一汲古閣刊毛扆校本《春渚紀聞》，二十金售於葉啟勳。成交之後，「柳謂余曰：『京估某曾見過，以無毛印疑之，今已售汝，曷告我以真假？』」[23]葉啟勳回覆說自己曾在涵芬樓見毛扆校本《鮑照集》，以字跡推斷，此本確為毛扆手校。

19　葉啟勳：《拾經樓紬書錄》，頁118。
20　葉啟勳：《拾經樓紬書錄》，頁78。
21　葉啟勳：《拾經樓紬書錄》，頁142。
22　葉啟勳：《拾經樓紬書錄》，頁38。
23　葉啟勳：《拾經樓紬書錄》，頁85。

二 葉啟勳的藏書、讀書習慣

藏書家在長期的書籍生活形成了一定的藏書和讀書習慣，在這之中體現著藏書家的精神追求和情感寄託。

（一）重裝典籍

葉啟勳對所藏善本，常進行重裝。一種情況是書籍破損或分割，必須重新裝訂纔能方便閱讀和保存。許多殘缺之卷在經葉啟勳之搜訪和重裝之後，得以破鏡重圓。如宋刊明印本《臨川先生文集》，「此書紙背間多朱墨字跡，蓋其時用公牘廢紙所印。原書裝二十冊，以嘉靖極薄綿紙襯訂，余因其破口蟲傷重裝，將原襯紙撤去。惜紙背字跡因重裝不能辨認，並識之以諗後之讀是書者。」[24]再如王鳴韶《鶴谿文集》手稿，一九一六年時，葉啟勳先於袁芳瑛家得其半，三年後，再於書賈處得另一半，「因為編次，重加裝訂」[25]。葉氏重裝修補之舉，不僅保證了典籍的價值，也延續了典籍的生命。

還有一種情況是善本需重裝之以示珍貴。如宋刊宋印本《韻補》[26]，葉啟勳「以番餅百元得之，手自裝池，以為吾家鎮庫之寶。」[27]翁方綱手校舊抄本《瀛涯勝覽》，葉啟勳「特重加裝飾，以待來者，知所寶重焉」。[28]

---

24 葉啟勳：《拾經樓紬書錄》，頁85。
25 葉啟勳：《拾經樓紬書錄》，頁154。
26 是書湖南圖書館鑑定為元刻本，見尋霖：〈湖南館藏葉氏捐贈善本〉，王逸明、李璞編著：《葉德輝年譜》，頁497。
27 葉啟勳：《拾經樓紬書錄》，頁31。
28 葉啟勳：《拾經樓紬書錄》，頁56。

（二）節日讀書並作題記

據《拾經樓紬書錄》所載，葉啟勳常在特殊節時取書閱讀並作題記。以他書籍生活中相對安定的一九二六和一九二七兩年為例：

> 一九二六年，正月人日，讀明刻本《鐔金文集》並跋之；中秋，讀趙之謙手稿本《從古堂款識學》並跋之；重九日，讀《昌谷集》並跋之；臘八日，讀《杜樊川集》並跋之。[29]
> 一九二七年元旦，讀汲古閣影宋精抄本《重續千字文》；正月人日，讀《後山詩注》並跋之；元宵節，讀翁方綱、何紹基批校本《寶真齋法書贊》並跋之；中秋節，讀明刻本《寇忠湣公詩集》並跋之；臘八節，讀明抄本《猗覺寮雜記》並跋之。[30]

以上所舉均是重要的傳統節日，葉啟勳在歡慶時節並不像多數年青人一般陷入歡娛，而是取閱藏書並作題跋，可見他對典籍和文化的癡迷和追求。除了在節日之外，生辰之時，葉啟勳也常聚友朋，同集家中，賞鑑藏書。一九二九年，葉啟勳自道州何氏得翁方綱、丁傑、錢馥校本《寶刻叢編》，生辰之日「友人聚集同觀，午後泚筆記之」[31]。一九三一年生辰日，葉氏宴集好友「雷丈民蘇、許丈季純、徐子紹周」，於拾經樓西榭，同觀張穆、何紹基批校之王筠《說文釋例》稿本。[32]

此外，葉啟勳還有邀請名士共同鑑賞藏書的習慣，葉運奎說：

29　葉啟勳：《拾經樓紬書錄》，頁144、70、111、110。
30　葉啟勳：《拾經樓紬書錄》，頁34、122、78、133、79。
31　葉啟勳：《拾經樓紬書錄》，頁64。
32　葉啟勳：《拾經樓紬書錄》，頁27。

「座上客有雷氏三兄弟和徐氏兩兄弟等……一月數聚或連聚數日，習以為常，始終不懈。」[33]

三 葉啟勳的藏書心態

周少川先生曾總結私家藏書心態的類型有文化認同的心理、以讀書為樂的意識、「遺金滿籝，不如一經」的心態、藏書私密、祈求永保的心態、藏書公開的心態等數種。[34]葉啟勳以讀書、藏書為樂，購書不惜重金，守書時輕易不外借，可見他愛書、惜書和藏書私密的心態。

（一）以讀書、藏書為樂

以藏書、讀書為樂的心態，使葉氏擁讀藏書便不知外界之苦，「時嚴寒大雪，呵凍書之，不覺其苦也」[35]。再如讀《穀山筆麈》，他記：「嚴寒大雪，圍爐書此，時憂禍頻仍，幾忘其為遁世之民，書能養性，固如是耶？」[36]他在《拾經樓紬書錄序》中說：「唯余而立之年，半以書相依如命，流離顛沛，伴侶皆書，嗜之篤，緣之慳。」[37]顛沛流離之中，葉啟勳以書籍為伴侶，以摩挲賞玩藏書為生平快事。

在時代變動使得「日以讀書為樂」都成為奢望時，葉啟勳對此表示出無比的遺憾。一九三三年時，葉啟勳得趙啟霖手批陳奐《毛詩傳疏》。他翻閱其書，見「《疏》中考證改正處頗多，校字離句甚為精博，想見前輩好學之勤劬，讀經之審慎」，故感慨到：「方今經學沉

---

33 葉運奎：〈懷念父親葉啟勳〉，王逸明、李璞編著：《葉德輝年譜》，頁491。

34 周少川：〈文化情結：中國古代私家藏書心態探微〉，《文獻傳承與史學研究》（北京：北京師範大學出版社，2011年），頁134-146。

35 葉啟勳：《拾經樓紬書錄》，頁120。

36 葉啟勳：《拾經樓紬書錄》，頁90。

37 葉啟勳：《拾經樓紬書錄》，頁5。

晦，禮教綱常且潰決不可收拾，且兵戈水火又一再相乘，求如曩時二三老儒不聞禍亂，日以讀書為樂者，殆如鈞天之夢，不可期遇矣。展讀斯篇，不禁為之掩卷三歎已也。」[38]時易勢移，舊學典籍承載的傳統學問已經不再為追求新潮的士人所沉迷。葉氏在新學崛起的年代抱殘守缺，以讀書藏書為樂，頗有老輩遺風。

（二）惜書甚於惜金

葉啟勳購書多不惜重金，如葉啟發見有人持宋刊本《宣和書譜》求售，索值三百金，馳書上海請示葉啟勳，葉啟勳「亟復書如值償之，然未信其真為宋刊，第以歷來收藏家志目罕見記載，雖重值勿惜也」[39]。葉啟勳竟肯在未信其書真為宋版的情況下，豪擲三百金，可見其惜書甚於惜金。又如曾經方功惠、李希聖收藏的明刊本《古廉李先生詩集》一書，葉氏記其入藏過程：「先是，有人持此書至書坊求售，坊賈中固無一陶藴輝、錢聽默之流能識古書者，因其蟲蝕過甚，群鄙夷置之。持書者為湘鄉人，初至會城，不識途徑，僅聞人言有葉某者，好書有癖，致奇書不惜重價。偶從坊間相值，遂導余至其寓所，且言坊賈之無識，並出此書。告余為其先祖亦元先生舊藏，前有亦元先生手跋，因欲留為世守，而迫於生計，故僅留手跡而去其書。其先則得之巴陵方氏者，與曩時世父考功君所言一一吻合。余亟以番餅百元易之。」[40]葉德輝曾告知方功惠、李希聖藏書的淵源，故當李希聖後人持書來售時，葉啟勳亟購之，且其所記「初至會城，不識途徑」一語頗為得意，似稱自己纔是城內有見識、有資格購進此善本之人。同時該題記也點出了在當時的書籍貿易圈中，葉啟勳「好書有

---

38 葉啟勳：《拾經樓紬書錄》，頁19-20。
39 葉啟勳：《拾經樓紬書錄》，頁72。
40 葉啟勳：《拾經樓紬書錄》，頁144。

癖，致奇書不惜重價」的形象已經被廣泛認可、流傳。

　　另一方面，葉啟勳常在書錄題跋中記載得書的價格以彰顯自己的惜書之情。一九二六年，葉啟勳得汲古閣影宋精抄本《重續千字文》，記得書之事：「去歲臘八，余從估人手見之，堅索白金二百，遷延月餘，乃以五十餅金得之。當毛斧季售書潘稼堂太史時，其《秘本書目》記云『精抄之書，每本有費四兩之外者，今不敢多開』。所謂『裁衣不值緞子價』也，在當年抄時豈料有今日哉？事逾數百寒暑，今日之價已數倍之，又豈毛氏所能料及哉？」[41]一九二七年，以五十餅金得明汲古閣影元抄本《文則》一冊，並說：「今此書毛《目》所估抄價祇八錢耳，余乃以五十餅金易之，數十倍於毛氏估價。」[42]葉啟勳以自己購書的花費同毛氏《秘本書目》所載相比，襯托得書價格之高，其意在彰顯自己購書不惜重金，表明自己對書籍的熱愛。

（三）藏書私密

　　時局動盪，經歷坎坷，葉啟勳知書籍傳藏不易，故嗜書之情更篤，雖「自詡達觀」，但藏書私密的心態使其輕易不肯外借、出讓其藏書。葉啟勳獲得北宋本《說文解字》後，時「國民政府司法院院長邵元沖夫人張默君，由省政府派人陪同來看此書」，葉啟勳以「是否宋本尚不能定告之」，拒絕了觀書之請。[43]一九四〇年時，金陵大學的圖書館學家李小緣曾致信打探：「長沙告捷以後，日趨穩定，我兄府上藏書幸早下鄉，不知近狀若何，現移何處，儲藏如願轉讓，弟甚願效微勞，是否有意及之乎？」[44]李小緣有意代收其所藏，葉啟勳亦未

41　葉啟勳：《拾經樓紬書錄》，頁34。

42　葉啟勳：《拾經樓紬書錄》，頁163。

43　葉運奎：〈懷念父親葉啟勳〉，王逸明、李璞編著：《葉德輝年譜》，頁492。

44　姜慶剛：〈葉啟勳先生書信幾則〉，《圖書館》2012年第5期。

許之。面對各方的壓力,葉啟勳輕易不肯外借、出讓其藏書,體現了他私密藏書的心態。

在葉氏的書籍交遊中,他的做法也偏向謹慎。《拾經樓紬書錄》中出現最多的葉氏書友是秦更年,以秦更年為例,可見葉啟勳嗜書之深。一九一六年周變詒散出之書中,有明趙氏仿宋本《玉臺新詠》,為葉啟勳所得。秦更年堅請相讓,葉啟勳「固未之允」。一九二七年春,葉德輝過世,葉啟勳前往上海避亂,秦更年「復申前議」,葉氏「未忍卻篋」。一九三〇年,葉啟勳徙家至上海,秦更年「仍未能忘情此書,知余攜之行笥,強讓未可,割愛不能,遂請假觀數日」[45]。至於不肯借書的緣由,葉啟勳自述到:「世父死丁卯春月之難,藏書散失幾盡,從兄某則因家計,將所得斥賣罄盡,惟餘此部,得保守於喪亂之餘」[46]。故珍密之書,不肯出讓外借。

再以《廣川書跋》一書為例,友人藏文徵明抄本《廣川書跋》,葉啟勳「擬乞得之」,以補藏書之闕,結果「友人靳未許也」[47]。從友人的反應中或許可以推見葉啟勳平時的做法。葉啟勳後得秦氏雁里草堂抄本《廣川書跋》,李盛鐸之子李家漻來訪,「見而讚賞,堅請相讓」,葉啟勳亦「靳未之許,卒至面赤而去,遂秘之篋笥,不敢示人」[48]。秦更年亦兩次來借校此書,葉啟勳均未出借,僅囑葉啟發以一刊本臨校之贈予秦更年。

當然,這並不是意味著葉氏與諸藏友之間斷絕書籍往來,如葉啟勳曾「從友人秦曼青許見黃復翁手校元本《詩外傳》。適行篋中攜有此本,因假歸以綠筆臨錄一通,並影摹諸家校藏印記及題跋,附訂於

---

45 葉啟勳:《拾經樓紬書錄》,頁156。
46 葉啟勳:《拾經樓紬書錄》,頁156。
47 葉啟勳:《拾經樓紬書錄》,頁75。
48 葉啟勳:《拾經樓紬書錄》,頁76。

首」[49]，即葉氏與秦更年亦互有借抄借校之舉。他在題識中多處記載
自己不肯外借、出讓典籍，源自於動亂時代保藏圖書的不易，其意在
彰顯書之珍貴以及自己的惜書之情。其後人見之，更應寶重其書。

四　葉啟勳書籍活動的情感寄寓

私家藏書具有自覺自願的特點，透過藏書家們艱苦卓絕的不懈努
力，可以挖掘他們的文化心態和情感寄寓。在葉啟勳孜孜不倦地購
求、守護、傳承典籍的背後，寄託著對伯父葉德輝的懷念，對家學傳
承的堅守，也垂訓著葉氏後人。

（一）追憶世父

葉德輝曾在蘇州寄詩「阿十持本日對讎，抱經思適能同擅」[50]稱
許葉啟勳、葉啟發兄弟。葉氏兄弟能在湖南藏書界產生影響，與早年
間葉德輝的指點不無關係。葉啟發說：「仲兄定侯及余方在髫齡，即
侍硯側。先世父時即以各書版刻之原委、校勘之異同相指示。余兄弟
習聞訓言，漸知購藏典籍。」[51]

葉啟勳能夠接觸學界名流如張元濟、傅增湘，得以拓寬眼界，也
多借葉德輝之力。在一九二一年時，葉啟勳前往上海，獲觀涵芬樓藏
書，「辛酉夏，余道過滬上，時大伯父由蘇適來，因率余往觀涵芬樓
藏書，中有舊抄《鹿皮子集》，假之取讀」[52]。即便是在葉德輝過世之
後，葉啟勳避亂上海期間，也獲觀書涵芬樓，即「夏初，余避亂滬

49　葉啟勳：《拾經樓紬書錄》，頁19。
50　葉啟發：《華鄂堂讀書小識》，頁238。
51　葉啟發：《華鄂堂讀書小識》，頁169。
52　葉啟勳：《拾經樓紬書錄》，頁133。

上，從海鹽張菊生年伯元濟許假觀涵芬樓藏書」[53]。一九三四年時，傅增湘南遊衡山，道經長沙，葉啟勳執年家子禮相見。返程時，傅氏往觀葉氏兄弟藏書並選定十餘部珍貴典籍，由葉啟勳撰成題識寄給他，即傅氏所藏《長沙葉定侯家藏書紀略》。傅增湘還在葉啟勳《拾經樓紬書錄》書成後為他作序，序中頗多讚許之詞。

作為其後人，葉啟勳常常在題跋中流露出對世父葉德輝的懷念。《李文公集》題記中說：「回憶平時每得一書，必經世父鑑定跋尾，今世父殉道，不能起而請益，並以知莫氏之誤，書此能不淒然乎？」[54]再如葉德輝擬刻葉夢得《石林避暑錄》，自莫棠和傅增湘處各得一種，囑葉啟勳校訂之。葉啟勳記：「丁卯春正，余禮廬抱痛，閉戶勘書，先世父遂以二書俾余，囑為校記，擬付手民。未及其半而湘亂作，先世父殉道，余遁寓海濱。既痛哲人之云亡，復悲先澤之或泯，江天在望，徒喚奈何。」[55]字裡行間，表現出對葉德輝的追憶。葉啟勳、葉啟發在題跋中反覆言及葉德輝的指點，一定程度上，反映了二人傳承葉德輝學術的欲望和標榜。

葉德輝在世時，葉啟勳曾參與校刻《書林清話》。葉啟勳的《四庫全書目錄版本考》一書即是在葉德輝的指示下創作。葉啟發說，葉德輝過世後，「余兄弟避亂申江，攜大伯父手稿於行篋中，故交門友見者，無不慫恿付之梓民。」[56]另外，據姜慶剛發布的葉啟勳和李小緣的往來書信，葉啟勳處還藏有葉德輝的未刊稿數種，並「擬為先伯編訂年譜」。可見葉啟勳在表彰葉德輝的學問方面，做出了不少努力。

---

53 葉啟勳：《拾經樓紬書錄》，頁115。
54 葉啟勳：《拾經樓紬書錄》，頁109。
55 葉啟勳：《拾經樓紬書錄》，頁88。
56 葉啟發：〈郋園讀書志跋〉，葉德輝：《郋園讀書志》（上海：上海古籍出版社，2010年），頁759。

（二）傳承家學

長沙葉氏自敘是葉清臣、葉夢得、葉盛的後人。在書錄題跋中，葉啟勳有意將自己書寫為葉氏家學的傳承人。為葉德輝校刻《郋園讀書志》後，葉啟勳在〈郋園讀書志跋〉中追述了家學淵源，將先人藏書治學的傳統、葉德輝的教誨和自己的藏書喜好接續書之。同劉肇隅、葉啟崟、葉啟發等人的《郋園讀書志》序跋相比，葉啟勳所作跋文頗有追溯自身學術淵源、傳承家族學問的意味。

在典籍購藏方面，很多藏書家對家族前輩、鄉邦先賢的書籍都相當看重，以之為學術傳承的途徑和代表。葉德輝即有意收藏葉氏先賢之書並校刻之，至葉啟勳時，家族遭逢巨變，時代動亂，啟勳更重視先世遺書，以示不忘所自。葉啟勳曾刻意搜求原觀古堂舊藏和觀古堂所無之書。每得觀古堂藏書，追憶舊事，感慨良多。一九三三年得觀古堂舊藏明影宋抄本葉氏先祖葉夢得的《建康集》，葉啟勳記：

> 此則藏之觀古堂中，為子孫青箱世守之業。丁卯三月，先世父被難，典籍散亡。此書余從冷書攤頭購歸，亦似冥冥中有默加呵護者。楚弓三篋，亡來已久，一旦頓還舊觀，展卷相對，如見故人。特世父云亡，寒暑屢易，追懷疇昔，感痛繫之。惟先世父得此書於庚子冬至後一日，是年五月為余生辰。綜此三十四年間，余家變故相乘，余雖屢經憂患而酷好典籍，相依如命。此書幾經展轉，別六載而仍歸於余，抑天公欲破余之癖，故予而故靳也耶？抑長恩有靈，祖先之眷戀余小子也耶？[57]

一九〇〇年即葉啟勳出生之年，葉德輝購入此書，並從盛宣懷藏

---

57 葉啟勳：《拾經樓紬書錄》，頁127。

抄本補全，後匯刻入《石林遺書》。一九二七年時，該書隨著葉氏家
族變動而流散。一九三三年，葉啟勳自書攤尋得此書，展卷閱讀，感
慨良多，甚至有「長恩有靈」、「祖先眷顧」之句。在《拾經樓紬書
錄》完成後，葉氏序中記「非敢問世，以示楹書之世守耳」，足見葉
啟勳傳承祖先遺書和家族學問的堅守。

（三）垂訓後人

藏書家常在書志題跋中垂訓後人，訓誡他們珍惜祖宗藏書、好學
勤勉，以求學問綿延、家族興盛。葉啟勳在明抄本《東坡先生志林》
題記中記：「辛未七月，文安後人詒愷持來此書，索值至百元。彼固
不知書，第以先人所遺，故要高價耳。取閱向書之有少河手跋者，乃
知此書無名氏題字亦少河手跡，固即目中所載之書也，亟償值藏之。
蓋自也是翁後，又遞經大興朱氏椒花吟舫、道州何氏東洲草堂珍藏
矣。兩家皆無印記，特志其顛末，以示子孫，知所寶重焉。」[58]何紹
基家族衰落，其孫持書求售，但並不確知其書淵源。葉啟勳梳理是書
的流傳故實，垂訓其子孫寶重其書，頗有引以為戒的意味。圖書的收
聚和傳承殊為不易，書籍不僅為後人治學求仕提供了支撐，先輩們保
藏圖書的行為本身就是極好的家庭教育素材。葉氏先祖葉盛就注重蓄
書之舉的氣度和德行，他得知藏書故家長洲虞氏家道中落，不僅不強
取其書，而且舉薦虞氏後人為官，傳為佳話。葉啟勳在題跋中也多次
表露出對良好家風的重視。一九二六年冬，葉啟勳得藏書家王時敏的
手稿本《王西廬家書》一卷。王時敏在家書中常論及季振宜和錢曾的
「峭刻詭譎」。葉啟勳對比王時敏和季、錢二人的身後遭遇，感慨
「積善之家，必有餘慶」，強調家族教育和家風的重要。他說：

---

58 葉啟勳：《拾經樓紬書錄》，頁84。

遵王為牧齋族子，生平受其提攜，得附士林。後乘牧齋之喪，率族人爭產，逼河東夫人縊死，其人狗彘不若，乃知西廬有先見之明……書中敘述家常，宅心仁厚，其於親故貧窘之際，猶時時眷戀於懷，如聞當時父子絮語。其教戒諸子有『為善乃受實用』，勗勉諸兒『事事務存寬厚，念念勿蒙邪曲，培養元氣，少答天意』諸語，尤見其居心慈善，不墜家風，宜乎子孫科第蟬聯，及身享高壽大名，晚景無不如願。彼季滄葦、錢遵王諸人雖事事經營，惟恐失利，而身後書籍、字畫，轉瞬化為煙雲，子孫繼起無達人，生前遺行，至今為人指斥。亦可見餘慶餘殃，其理信不爽也。[59]

　　葉氏對王時敏寄語兒輩的教戒勗勉深以為然，但令人唏噓的是，數月之後，葉德輝被殺、藏書星散。經歷了家族變故、顛沛流離的葉啟勳，更知圖書保藏不易，一九二七年八月，他在明成化刊本《李文公集》題記中告誡子孫：「鄉邦遺澤，由吳而湘，由湘而吳，楚弓楚得，吾子孫其永寶之。」[60]

　　葉啟勳在書錄中，多有言及葉德輝之子葉啟倬處。在葉盛手校明聞人詮本《舊唐書》書錄中，葉啟勳記：

此書出郡故藏書家，索值頗昂。從兄某知其為先人手澤，而又不惜財物，不欲致之。及歸余插架，又欲乾沒以去。余於從兄弟輩為最小，遂不敢爭，亦不願爭也，卒為所奪。未幾，從兄某豪於摴蒱之戲，盡散其藏書，余仍從估人手得之。嘗考歸安陸運使心源《皕宋樓藏書志》，《沈下賢集》葉石君跋『崇禎戊

59　葉啟勳：《拾經樓紬書錄》，頁153。
60　葉啟勳：《拾經樓紬書錄》，頁109。

寅得沈亞之集，為林宗乾沒，近來林宗物故，書籍星散，宋元刻本盡廢於狂童敗婦之手。予生平不欺其心，自信書籍必不若林宗死後之慘』云。案林宗公以後娶妻，故致二子失愛以憂死，士論少之。而從兄某以腰纏萬貫，吝不資先世父以行，致死丁卯之難，為清流所不齒，卒之及身而書籍星散，且負債累累。然則欺心之人，天理報施，固未嘗或爽，其然豈其然乎？因跋是史，以垂訓云。[61]

葉啟勳在題跋中多處表示葉德輝之子葉啟倬沉迷賭博、售賣藏書、吝惜財物、學問粗疏，不能繼承先世遺志，此處更暗指葉德輝「死丁卯之難」是因葉啟倬不願出資供葉德輝前往日本。葉啟勳引用祖先葉盛的跋文，借對從兄的控訴，垂訓其子孫為人端正、不可欺心。葉啟勳筆下，葉德輝之子的形象可以用「吝惜財物、不學無術」來概括，因此有學者認為，「雖葉德輝生前極為自負，嘗稱『湘中一省人物，不及輝之一家』，葉德輝三子，長子葉杞早夭，次子啟倬、三子啟慕，皆不賢肖，而能繼其家學者，實為其弟葉德炯之子葉啟勳、葉啟發二人而已。」[62]

五 餘論

上世紀三十年代後期，長沙時局動盪，葉啟勳的藏書活動受到影響。一九三九年長沙大火和一九四四年日軍佔領長沙給拾經樓藏書造成損失。葉啟發云：「中日戰起，東北淪亡，繼而蘇、皖、鄂、贛先後喪失，長沙日有鋒鏑之警，舟車阻塞，避地無方，余兄弟未得盡舉

---

61 葉啟勳：《拾經樓紬書錄》，頁44-45。
62 尋霖、劉志盛：《湖南刻書史略》（長沙：岳麓書社，2013年），頁372。

藏書移至鄉野。迄至十月，湘垣大火，拾經樓、華鄂堂均成灰燼，典籍之未攜出者，同罹浩劫。」[63]一九四〇年，葉啟勳致書商承祚，提及「倭寇肆虐，長沙首被火焚，家藏典冊一部分遂罹劫灰，手卷諸稿同為餘燼」。另據葉運奎述，日軍佔領長沙期間，曾派人四處搜尋葉啟勳的蹤跡；長沙光復以後，又有人趁機挑釁，想要佔有其書。葉啟勳將書籍用皮箱裝好，藏於草藥鋪。「長沙解放以後，父親深感購書難，收藏難，保全更難，像此類珍貴書籍，不宜私家收藏，經全家商定於一九五一年全部捐獻國家，現存湖南圖書館。」[64]《長沙市志》載：「一九五一年，其子葉閬運代表父親將拾經樓珍善本書一百餘種，三千多冊，二萬三千餘卷，悉數捐贈給湖南省文物管理委員會，現絕大部分珍藏於湖南省圖書館善本書庫」[65]，其中不乏宋元珍本、稿抄批校本。據湖南圖書館的尋霖介紹，葉啟勳、葉啟發兄弟藏書全帙捐藏於湖南圖書館，至今為其鎮館之寶。[66]

要指出的是，葉啟勳並非祇知賞鑑、不求治學的「賞鑑派」藏書家。他曾參與編寫《續修四庫全書總目提要》的工作，據統計，「撰寫提要三百五十九篇，其中經部一百一十篇。[67]他還撰有《說文繫傳引經考證》、《說文重文小篆考》、《釋家字義》、《通志堂經解目錄考證》、《四庫全書目錄版本考》等學術論著，部分刊載於《金陵學報》、《圖書館學季刊》等刊物。在時局動盪不安，學術風氣轉向的情

---

63 葉啟發：《華鄂堂讀書小識》，頁170。

64 葉運奎：〈懷念父親葉啟勳〉，王逸明、李璞編著：《葉德輝年譜》，頁493。

65 長沙市地方志辦公室：《長沙市志》（長沙：湖南出版社，2002年），頁578。

66 尋霖：〈三湘瑰寶圖苑奇葩——湖南圖書館藏宋元刻本略影〉，《圖書與情報》2007年第5期。

67 王亮：〈民國時期〈續修四庫全書總目提要〉考述——以經部文獻為中心〉，程煥文、沈津、王蕾：《2014年中文古籍整理與版本目錄學國際學術研討會論文集》（桂林：廣西師範大學出版社，2015年），頁344。

況下，葉氏恪守以目錄版本學、小學為主的家學，保存典籍，為文化傳承貢獻了力量。很多葉啟勳式的末代藏書家，在動亂的戰爭年代，不惜一切購求、保存、傳承珍貴典籍，又將之捐獻公藏，使其至今能為人利用。他們雖然沒有親赴戰場，但在文化領域，他們保藏典籍、傳承學術的努力同樣值得表彰。

——原刊於《棗莊學院學報》二〇一九年第四期

後記

　　論集中的諸篇文章，乃是我自碩士階段以來，就朱文藻研究和江南藏書研究等主題分別撰寫的專題文章，或在期刊發表，或在學術會議上提交討論。此次結集出版再次審讀時，仍覺粗疏稚嫩，故就原文裁刪增訂，以求稍有進步。然文中訛謬仍多，尚祈讀者、專家批評指正。

　　我自二〇一一年起在陝西師範大學歷史文化學院古典文獻學專業學習，後於二〇一五年考入北京師範大學古籍與傳統文化研究院，二〇一八年考入北京師範大學歷史學院，至今已有十餘年的古文獻學學習經歷。因論文多取自碩、博學位論文，幾乎每篇文章均經業師周少川先生批閱訂正。在論文答辯時，又經北京師範大學向燕南教授、汪高鑫教授、張升教授，中國人民大學牛潤珍教授、曹剛華教授，河南師範大學王記錄教授等專家指導。在我升入碩士階段以後，本科時的諸位老師——陝西師範大學的黃壽成教授、焦杰教授、王雪玲教授、郭海文教授皆對我關懷備至，時時留心我的學業。北京師範大學歷史學院的張皓、劉林海、李淵、胡小溪等領導、老師，博士後合作導師侯樹棟先生、諄諄教誨我的毛瑞方教授、可敬可愛的班主任李凱老師，時刻關注、推進我的研究進展。然而因我天資愚鈍，創獲實少，自知論文精品不多，有愧陝西師大和北京師大諸位老師的教導。

　　我的母親馮瑞婷女士，是善良真誠中國農村女性的代表，她以堅韌毅力克服「計畫生育」的重重困難將我生下，又在極端貧困的情況下將我撫養成人，並鼓勵支持我一路求學。在我考上博士的二〇一八

年，她卻因腦出血在五十四歲時猝然離世，未能留給我哪怕一天的奉養機會。更不幸的是，母親過世五年後，父親胡文增又罹患癌症──MDS-EB2。蒙河北醫科大學第二醫院張學軍主任、溫樹鵬主任、周子瑋、袁景、韓新智醫生悉心救治，行造血幹細胞移植術。父親此刻正身處造血幹細胞移植倉內，前期化療和排異反應使他身體和精神脆弱不堪。我在網絡上發起籌款以後，太多親人師友發來祝福和支持，願上蒼保佑我的造血幹細胞在父親體內成功植活，使父親恢復健康。

我的妻子楊希，多年以來同我患難與共，十餘年來，我們經歷了一次次人生重大變故，相愛相知，彼此扶持。大姐胡丹鳳、二姐胡鳳瑩不遺餘力地照顧家庭，總是無條件支持我的各種決定。在四川大學古文字學專業就讀的表妹高歌，協助我審讀修訂文稿，幫助甚多。臺灣萬卷樓張晏瑞主編、林婉菁女史為此書編校出版助力甚大。感恩所有幫助過我的親人師友，感恩生命中遇到的所有朋友，願所有人遠離病痛、順遂平安。

二〇二四年一月寫於河北醫科大學第二醫院父親病床旁

文獻研究叢書・圖書文獻學叢刊 0901007

文獻學與藏書史探微

作　　者　胡晨光
責任編輯　林婉菁
特約校對　蔡昀融

發 行 人　林慶彰
總 經 理　梁錦興
總 編 輯　張晏瑞
編 輯 所　萬卷樓圖書股份有限公司
　　　　　臺北市羅斯福路二段 41 號 6 樓之 3
　　　　　電話 (02)23216565
　　　　　傳真 (02)23218698

發　　行　萬卷樓圖書股份有限公司
　　　　　臺北市羅斯福路二段 41 號 6 樓之 3
　　　　　電話 (02)23216565
　　　　　傳真 (02)23218698
　　　　　電郵 SERVICE@WANJUAN.COM.TW
香港經銷　香港聯合書刊物流有限公司
　　　　　電話 (852)21502100
　　　　　傳真 (852)23560735

ISBN 978-626-386-045-2
2024 年 5 月初版
定價：新臺幣 280 元

國家圖書館出版品預行編目資料

文獻學與藏書史探微 / 胡晨光著. -- 初版. --
臺北市：萬卷樓圖書股份有限公司, 2024.05
　　面；　公分. -- (文獻研究叢書. 圖書文獻學
叢刊 ; 0901007)
ISBN 978-626-386-045-2(平裝)
1.CST: 文獻學 2.CST: 藏書 3.CST: 文集
011.07　　　　　　　　　　　113002479